Études Littéraires dix-huitième siècle VOL.I

Émile Faguet

Edition : Culturea (culurea.fr), 34 Hérault
Contact : infos@culturea.fr
Impression : BOD, Norderstedt (Allemagne)
ISBN :9791041831791
Date de publication : juillet 2023
Mise en page et maquettage : https://reedsy.com/
Cet ouvrage a été composé avec la police Bauer Bodoni

ÉTUDES LITTÉRAIRES DIX-HUITIÈME SIÈCLE

PIERRE BAYLE

I

BAYLE NOVATEUR

Il est convenu que le Dictionnaire de Bayle est la Bible du XVIIIe siècle, que Pierre Bayle est le capitaine d'avant-garde des philosophes, et cela, encore que généralement admis, n'est pas trop faux; cela est même vrai; seulement il faut savoir que jamais éclaireur n'a moins ressemblé à ceux de son armée, et que, s'il les eût connus, il n'est personne au monde, non pas même les jésuites et les dragons de Villars, qu'il eût, j'en suis sûr, plus cordialement détesté que ses successeurs.

Au premier regard il paraît bien l'un d'eux, très exactement. On feuillette, et voici les principaux traits distinctifs du XVIIIe siècle, tant littéraire que philosophique et «religieux», qui apparaissent. Bayle est «moderne», admire froidement Homère, le trouve souvent un peu «bas», et, du reste, est aussi fermé à la grande poésie, et même à toute poésie, qu'il soit possible. Voltaire aura le goût plus large et plus élevé que lui.Bayle a l'esprit d'examen minutieux, étroit et négateur; il ne croit qu'au petit fait et aux grandes conséquences du petit fait, comme Voltaire; il a comme Voltaire, une sorte de positivisme historique, et là où nous trouvons, sans nul doute, ce nous semble, l'explosion d'un grand sentiment et le déploiement soudain de grandes forces d'âme, il ne voit qu'une intrigue habile et une supercherie bien conduite. Savez-vous où est, à peu près, le sommaire de la Pucelle de Voltaire? Dans un passage de Haillan, amoureusement transcrit et encadré par Bayle dans son dictionnaire.Bayle a l'esprit de raillerie bouffonne et irrévérencieuse, et cette méthode du burlesque appliqué à la métaphysique et aux religions, qui est celle du XVIIIe siècle tout entier, depuis Fontenelle jusqu'à Béranger. Les plaisanteries sur le système de Spinoza (Dieu modifié en Gros-Jean est un imbécile, et Dieu, modifié en Leibniz est un grand génie; Dieu modifié en trente mille Autrichiens a assommé Dieu modifié en dix mille Prussiens), ces plaisanteries de Voltaire ne sont pas de Voltaire; elles sont de Bayle, ou plutôt elles ont commencé par être de Bayle.

«Les idées de l'Eglise gallicane touchant le concile et sur le Pape parlant ex cathedra peuvent être comparées à celles du paganisme touchant les oracles de Jupiter et celui de Delphes. Le Jupiter olympien répondant à une question trouvait dans l'esprit des peuples beaucoup de respect; mais enfin son jugement, quand même il aurait été rendu ex cathedra, ou plutôt ex tripode, ne passait pas pour irréformable. Voilà le Pape de l'Eglise gallicane. L'Apollon de Delphes était le juge de dernier ressort: voilà le concile.» Cela est-il assez voltairien? C'est du Bayle.

Il a, non seulement l'esprit irréligieux, rebelle au sentiment du surnaturel, mais le goût de l'agression, et de la polémique, et de la taquinerie irréligieuses. Non seulement il ne cesse pas... je ne dis point de nier Dieu, la providence, et l'immortalité de l'âme; car il se garde bien de nier; je dis non seulement il ne cesse pas d'amener subtilement et captieusement son lecteur à la négation de Dieu, à la méconnaissance de la providence, et à la persuasion que tout finit à la tombe; mais encore il prend plaisir à bien montrer aux hommes, patiemment, obstinément, avec la persistance tranquille de la goutte d'eau perçant la pierre, qu'ils n'ont aucune raison de croire à ces choses sinon qu'ils y croient, qu'autant la foi y mène tout droit, autant tout raisonnement, quel qu'il puisse être, en éloigne, et qu'ainsi ils font bien de croire, ne peuvent mieux faire, sont admirablement bien avisés en croyant. Ce détour malicieux, tactique absolument continuelle chez lui, sent le mépris et un peu d'intention méchante; c'est un moyen d'intéresser l'amour-propre dans la cause de la négation, et, si l'on n'y réussit point, d'indiquer au rebelle qu'on le tient doucement pour un sot, ce qu'on le félicite d'être d'ailleurs, et de vouloir rester, puisque aussi bien il ne pourrait être autre chose. C'est du plus pur XVIIIe siècle.

Et dix-huitième siècle encore le goût très marqué et aussi désobligeant que possible de l'obscénité. Les détails scabreux recherchés avec soin et étalés avec complaisance, abondent dans ces volumes de forme austère. Le cynisme cher au XVIe siècle, contenu et réprimé au XVIIe, recommence à couler de source et à déborder, et en voilà pour un siècle; en voilà jusqu'à ce que la réaction de la satiété et du dégoût y mette, pour un temps, une nouvelle digue.

La défense de Bayle sur ce point est significative; c'est une accusation très grave, dans le plus grand air de bonhomie et d'innocence, à l'adresse des contemporains. Bayle fait remarquer, avec le plus grand sang-froid, qu'un livre, pour être utile, doit être acheté, et pour être acheté doit contenir de ces choses qui plaisent à tout le monde, intéressent tout le monde, éveillent, entretiennent et satisfont toutes les curiosités. Autrement dit, ce n'est point Bayle qui est cynique, mais ses contemporains qui le sont trop pour ne pas l'obliger à l'être un peu, et même énormément, dans le seul but de ne point leur rester étranger. Un savant même est bien forcé d'être à peu près à la mode.

Et voilà bien toute la physionomie du XVIIIe siècle qui se dessine à nos yeux, au moins de profil. Il n'y a pas jusqu'à ce que j'appellerai, si on me le permet, le primitivisme, je ne sais quel esprit de retour aux origines de l'humanité, et je ne sais quel sentiment que l'humanité en s'organisant s'est éloignée du bonheur, en se civilisant s'est dénaturée et pervertie, idée familière au XVIIIe siècle même avant Rousseau, et devenue populaire après lui, que l'on ne trouvât encore dans Bayle, à la vérité en y mettant un peu de complaisance. Ne croyez pas, nous dit-il, que l'effort, humain ou divin, pour éloigner progressivement le monde de l'état primitif et naturel, soit un bien, et soit signe, ou de la bonté de l'homme, ou d'une bonté céleste. C'est une idée singulière des Platoniciens que, par exemple, Dieu ait créé le monde par bonté. La création est plutôt une première déchéance. Le chaos c'était le bonheur. «Tout était insensible dans cet état: le chagrin, la douleur, le crime, tout le mal physique, tout le mal moral y était inconnu... La matière contenait en son sein les semences de tous les crimes et de toutes les misères que nous voyons; mais ces germes n'ont été féconds, pernicieux et funestes qu'après la formation du monde. La matière était une Camarine4 qu'il ne fallait pas remuer.»Bayle s'amuse, car il s'amuse toujours; mais cette théorie de polémique n'est pas autre chose que la doctrine de Rousseau poussée à l'extrême, en telle sorte qu'elle pourrait être ou page d'un disciple de Rousseau logique et naïf, ou parodie de Jean-Jacques dans la bouche d'un de ses adversaires.

: (retour) Ville de Sicile, ruinée par les Syracusains, qui la surprirent en traversant un marais desséché par les habitants, malgré la défense de l'oracle.
Ce goût de critique négative, ce goût de faire douter, cette impertinence savante et froide à l'adresse de toutes les croyances communes de l'humanité, cet art de ne pas être convaincu, et de ne pas laisser quelque conviction que ce soit s'établir dans l'esprit des autres; cet art, délicat, nonchalant et charmant dans Montaigne; rude, pressant, impérieux et haletant, en tant que visant à un but plus élevé que lui-même, dans Pascal; cauteleux, insidieux, tranquille et lentement tournoyant et enveloppant dans Pierre Bayle; conduit à une sorte de désorganisation des forces humaines et à une manière de lassitude sociale. Bayle le sait, et le dit fort agréablement: «On peut comparer la philosophie à ces poudres si corrosives qu'après avoir consumé les chairs baveuses d'une plaie, elles rongeraient la chair vive et carieraient les os, et perceraient jusqu'aux moelles. La philosophie réfute d'abord les erreurs; mais si on ne l'arrête point là, elle réfute les vérités, et quand on la laisse à sa fantaisie, elle va si loin qu'elle ne sait plus où elle est, ni ne trouve plus où s'asseoir.»

Voilà une belle porte d'entrée au XVIIIe siècle, et où l'inscription ne laisse rien ignorer de ce qu'on a chance de trouver dans l'enceinte. Nous savons d'avance ce qui sera, du reste, la vérité, que l'Encyclopédie et le Dictionnaire philosophique ne sont que des éditions revues, corrigées et peu augmentées du Dictionnaire de Bayle, que dans ce dictionnaire est l'arsenal de tout le philosophisme, et le magasin d'idées de tous les penseurs, depuis Fontenelle jusqu'à Volney. Le XVIIIe siècle commence.

II

BAYLE ANNONCE LE XVIIIe SIÈCLE SANS EN ÊTRE

Et il n'en est pas moins vrai que rien ne ressemble si peu que Bayle à un philosophe de . Presque tout son caractère et presque toute sa tournure d'esprit l'en distinguent absolument. Et d'abord c'est un homme très modeste, très sage, très honnête homme dans la grandeur de ce mot. Laborieux, assidu, retiré et silencieux, personne n'a moins aimé le fracas et le tapage, non pas même celui de la gloire, non pas même celui qu'entraîne une influence sur les autres hommes. De petite santé et d'humeur tranquille, il a horreur de toute dissipation, même de tout divertissement. Ni visites, ni monde, ni promenades, ni, à proprement parler, relations. La vita umbratilis a été la sienne, exactement, et il l'a tenue pour la vita beata. Il a lu, toute sa vieune plume en main, pour mieux lire, et pour relire en résuméet voilà toute son existence. Il ne s'est soucié d'aucune espèce de rapport immédiat avec ses semblables. L'idée n'est pas pour lui un commencement d'acte, et il s'ensuit que ce n'est jamais l'action à faire qui lui dicte l'idée dont elle a besoin; et c'est là une première différence entre lui et ses successeurs, qui est infinie. Il n'a pas de dessein; il n'a que des pensées.

Ajoutez, et voilà que les différences se multiplient, qu'il n'a pour ainsi dire pas de passions. Son trait tout à fait distinctif est même celui-là. Il n'est pas seulement un honnête homme et un sageon l'est avec des passions, quand on les dompteil est un homme qui ne peut pas comprendre ou qui comprend avec une peine extrême et un étonnement profond qu'on ne soit pas un sage. Le pouvoir des passions sur les hommes le confond. «Ce qu'il y a de plus étrange, dans le combat des passions contre la conscience, est que la victoire se déclare le plus souvent pour le parti qui choque tout à la fois et la conscience et l'intérêt.» Il y a là quelque chose de si monstrueux que le bon sens en est comme étourdi, et il ne faut pas s'étonner que «les païens aient rangé tous ces gens-là au nombre des fanatiques, des enthousiastes, des énergumènes et de tous ceux en général qu'on croyait agités d'une divine fureur.» Certes Bayle ne se fait aucune gloire, il ne se fait même aucun compliment d'être un honnête homme: il croit simplement qu'il n'est pas un fou. Entre les Diderot, les Rousseau et les Voltaire, il eût été comme effaré, et se serait demandé quelle divine fureur agitait tous ces névropathes.

Enfin il est homme de lettres, et rien autre chose qu'homme de lettres. Les hommes du XVIIIe siècle ne l'étaient guère. Ils étaient gens qui avaient des lettres, mais qui songeaient à bien autre chose, gens persuadés qu'ils étaient faits pour l'action et pour une action immédiate sur leurs semblables, gens qui avaient la prétention de mener leur siècle quelque part, et ils ne savaient pas trop à quel endroit; mais ils l'y menaient avec véhémence; gens qui étaient capables d'être sceptiques tour à tour sur toutes choses, excepté sur leur propre importance; gens qui faisaient leur métier d'hommes de lettres, à la condition, avec le privilège, et dans la perpétuelle impatience d'en sortir.

Bayle n'en sort jamais. Il est homme de lettres sans réserve, sans lassitude, sans dégoût, sans arrière-pensée, et sans autre ambition que de continuer de l'être. Rien au monde ne vaut pour lui la vie de labeurs, de recherches désintéressées et de tranquille mépris du monde qu'il a choisie. Il a ce signe, cette marque du véritable homme de lettres qu'il songe à la postérité, c'est-à-dire aux deux ou trois douzaines de curieux qui ouvriront son livre un siècle après sa mort.

«Que craignez-vous? Pourquoi vous tourmentez-vous?.. Avez-vous peur que les siècles à venir ne se fâchent en apprenant que vos veilles ne vous ont pas enrichi? Quel tort cela peut-il faire à votre mémoire? Dormez en repos. Votre gloire n'en souffrira pas... Si l'on dit que vous vous êtes peu soucié de la fortune, content de vos livres et de vos études, et de consacrer votre temps à l'instruction du public, ne sera-ce pas un très bel éloge?... Les gens du monde aimeraient autant être condamnés aux galères qu'à passer leur vie à l'entour des pupitres, sans goûter aucun plaisir ni de jeu, ni de bonne chère... Mais ils se trompent s'ils croient que leur bonheur surpasse le sien; il (un savant, François Junius) était sans doute l'un des hommes du monde les plus heureux, à moins qu'il n'ait eu la faiblesse, que d'autres ont eue, de se chagriner pour des vétilles...»

Voilà Bayle au naturel. Considéré à ces moments-là, il apparaît aussi peu moderne que possible, et tel que ces artistes anonymes de nos cathédrales qui passaient leur vie, inconnus et ravis, dans le lent accomplissement de la tâche qu'ils avaient choisie, au recoin le plus obscur du grand édifice. Aussi bien, il ne voulait pas signer son monument. Des exigences de publication l'y obligèrent. «A quoi bon? disait-il. Une compilation! Un répertoire!» Et, en vérité, il semble bien qu'il a cru n'avoir fait qu'un dictionnaire.

Et, par suite, ou si ce n'est pas par suite, du moins les choses concordent, aussi bien que toutes les vanités des hommes du XVIIIe siècle, tout de même les orgueilleuses et ambitieuses idées générales des philosophes de sont absolument étrangères à Pierre Bayle. Il ne croit ni à la bonté de la nature humaine, ni au progrès indéfini, ni à la toute-puissance de la raison. Il n'est optimiste, ni progressiste, ni rationaliste, ni régénérateur. Le monde pour lui «est trop indisciplinable pour profiter des maladies des siècles passés, et chaque siècle se comporte comme s'il était le premier venu». L'humanité ne doute point qu'elle n'avance, parce qu'elle sent qu'elle est en mouvement. La vérité est qu'elle oscille, «Si l'homme n'était pas un animal indisciplinable, il se serait corrigé.» Mais il n'en est rien. «D'ici deux mille ans, si le monde dure autant, les réitérations continuelles de la bascule n'auront rien gagné sur le coeur humain.» Ce serait un bon livre à écrire «qu'on pourrait intituler de centro oscillationis moralis, où l'on raisonnerait sur des principes à peu près aussi nécessaires que ceux de centro oscillationis et des vibrations des pendules».

On eût étonné beaucoup cet aïeul des Encyclopédistes en lui parlant du règne de la raison et de la toute-puissance à venir de la raison sur les hommes. Personne n'est plus convaincu que lui de deux choses, dont l'une est que la raison seule doit nous mener, et l'autre qu'elle ne nous mène jamais. Elle est pour lui le seul souverain légitime de l'homme, et le seul qui ne gouverne pas. Il est très enclin, sur ce point, à «soutenir le droit et nier le fait»; à soutenir «qu'il faut se conduire par la voie de l'examen, et que personne ne va par cette voie». La raison en est (dont Pascal s'était fort bien avisé) dans l'horreur des hommes pour la vérité. Un instinct nous dit que la vérité est l'ennemie redoutable de nos passions, et que si nous lui laissions un instant prendre l'empire, d'un seul coup nous serions des êtres si absolument raisonnables et sages que nous péririons d'ennui. Plus de désir, plus de crainte, plus de haine, vaguement l'homme sent que la vérité, le simple bon sens, s'il l'écoutait une heure, lui donnerait sur-le-champ tous ces biens, et c'est devant quoi il recule, comme devant je ne sais quel vide affreux et désert morne. Comment veut-on que jamais il s'abandonne à celle qu'il devine qui est la source de tout repos et la fin de toute agitation et tourment?

Remarquez, du reste, que l'homme, s'il a une horreur naturelle et intéressée de la vérité, n'en a pas une moindre de la clarté. Il peut approuver ce qui est clair, il n'aime passionnément que ce qui est obscur, il ne s'enflamme que pour ce qu'il ne comprend pas. Certains réformateurs fondent leur espoir sur ce qu'ils ont détruit ou effacé de mystères. C'est une sottise. C'est ce qu'ils en ont laissé qui leur assure des disciples, joint aux nouveaux sentiments de haine et de mépris dont, en créant une secte, ils ont enrichi l'humanité. «C'est l'incompréhensible qui est un agrément.» Quelqu'un qui inventerait une doctrine où il n'y eût plus d'obscurité, «il faudrait qu'il renonçât à la vanité de se faire suivre par la multitude».

Cela est éternel, parce que cela est constitutionnel de l'humanité. L'homme est un animal mystique. Il aime ce qu'il ne comprend pas, parce qu'il aime à ne pas comprendre. Ce qu'on appelle le besoin du rêve, c'est le goût de l'inintelligible. L'humanité rêvera toujours, et d'instinct repoussera toujours toute doctrine qui se laissera trop comprendre pour permettre qu'on la rêve. La raison est donc comme une sorte d'ennemie intime que l'homme porte en soi, et qu'il a le besoin incessant de réprimer. C'est Cassandre, infaillible et importune. «Je sais que tu dis vrai; mais tais-toi.» Il est donc d'un esprit très étroit de travailler à fonder le rationalisme dans le genre humain; c'est une faute de psychologie et une ignorantia elenchi, comme Bayle aime à dire, tout à fait surprenante.

Certes Bayle ne songe point à un tel dessein, et personne n'a cru plus fort et n'a dit plus souvent que l'humanité vit de préjugés, qui, seulement, se succèdent les uns aux autres et se transforment, comme de sa substance intellectuelle.

Bayle est encore d'une autre famille que les philosophes du XVIIIe siècle en ce qu'il adore la vérité. J'ai dit qu'il n'a point de passion; il a celle-là. Aucune rancune, aucune blessure ne peut gagner sur lui qu'il croie vrai ce qu'il croit faux. Il a des sentiments très vifs contre le catholicisme, cela est certain; jamais cela ne le conduira à faire l'éloge du paganisme et du merveilleux esprit de tolérance qui animait les religions antiques. Il laisse ce panégyrique à faire à Voltaire. Il sait, lui, qu'il est difficile à une doctrine d'être tolérante quand elle a la force, et qu'en tout cas, si cela doit se voir un jour, il est hasardeux d'affirmer que cela se soit jamais vu.Il penche très sensiblement pour le protestantisme, et jamais il n'a dissimulé l'intolérance du protestantisme. Il insiste même avec complaisance sur celle de Jurieu, parce que, sans qu'on ait jamais très bien su pourquoi, il a contre Jurieu une petite inimitié personnelle; mais d'une façon générale, et qu'il s'agisse ou de Luther ou de Calvin, ou même d'Erasme, la rectitude de sa loyauté intellectuelle et de son bon sens fait qu'il signale l'esprit d'intolérance partout où il est. Il l'eût peut-être trouvé jusque dans l'Encyclopédie, et l'eût dénoncé. Je dirai même que j'en suis sûr.

Il faut indiquer un trait tout spécial par où Bayle se distingue des héritiers qui l'ont tant aimé. L'intrépidité d'affirmation des philosophes du XVIIIe siècle leur vient, pour la plupart, de leurs connaissances scientifiques et de la confiance absolue qu'ils y ont mise. Bayle ne s'est pas occupé de sciences, presque aucunement, et sa Dissertation sur les comètes est un prétexte à philosopher, non proprement un ouvrage scientifique. Dans son Dictionnaire, deux catégories d'articles sont d'une regrettable et très significative sécheresse: c'est à savoir ceux qui concernent les hommes de lettres et ceux qui concernent les savants. Encore sur les hommes de lettres, si sa critique est superficielle, hésitante, ou, pour mieux dire, assez indifférente, du moins est-il au courant. Pour ce qui est des savants, il me semble bien qu'il n'y est pas. Il en est resté à Gassendi. Inutile de dire que c'est là une lacune fâcheuse. A un certain point de vue ce lui a été un avantage. La certitude scientifique a comme enivré les philosophes du XVIIIe siècle, la plupart du moins, et leur a donné le dogmatisme intempérant le plus désagréable, le plus dangereux aussi. Nous y reviendrons assez. Je ne sais si c'est par peur du dogmatisme que Bayle s'est tenu à l'écart des sciences, ou si c'est son incompétence scientifique qui l'a maintenu dans une sage et scrupuleuse réserve; mais toujours est-il qu'il n'a rien de l'infaillibilisme d'un nouveau genre que le XVIIIe siècle a apporté au monde, que le pontificat scientifique lui est inconnu, et que, rebelle à l'ancienne révélation, ou il n'a pas assez vécu, ou il n'avait pas l'esprit assez prompt à croire pour accepter la nouvelle.

Aussi toutes ses conclusions, ou plutôt tous les points de repos de son esprit, sont-ils toujours dans des sentiments et opinions infiniment modérés. En général sa méthode, ou sa tendance, consiste à montrer aux hommes que sans le savoir, ni le vouloir, ils sont extrêmement sceptiques, et beaucoup moins attachés qu'ils ne l'estiment aux croyances qu'ils aiment le plus. Il excelle à extraire, avec une lente dextérité, de la pensée de chacun le principe d'incroyance qu'elle renferme et cache, et non point à arracher, comme Pascal, mais à dérober doucement à chacun une confession d'infirmité dont il fait un aveu de scepticisme. Il tire subtilement, pour ainsi dire, et mollement, le catholicisme au jansénisme, le jansénisme au protestantisme, le protestantisme au socinianisme et le socinianisme à la libre pensée. Il aimera, par exemple, à nous montrer combien la pensée de saint Augustin est voisine de celle de Luther, combien il était nécessaire que le calvinisme finît par se dissoudre dans le socinianisme, et comment, après le socinianisme, il n'y a plus de mystères, c'est-à-dire plus de religion.Il n'y a pas jusqu'à Nicole qu'il n'engage nonchalamment, qu'il ne montre, sans en avoir l'air, comme s'engageant dans le chemin de pyrrhonisme.

Non point «qu'en fait», je l'ai indiqué, il ne voie d'infinies distances entre les hommes; mais c'est entre les hommes que sont ces espaces, non point du tout entre les doctrines. Ce sont abîmes que creuse entre les hommes leur passion maîtresse, qui est de n'être point d'accord; mais, en raison, il n'y a point de telles divergences, et leurs passions désarmant, leurs vanités disparues, ils s'apercevraient qu'ils pensent à peu près la même chose. Il est vrai que jamais les passions ne désarmeront, ni ne s'évanouiront les vanités.

Ainsi Bayle circule entre les doctrines, les comprenant admirablement, et merveilleusement apte, merveilleusement disposé aussi, et à les distinguer nettement pour les bien faire entendre, et à les concilier, ou plutôt à les diluer les unes dans les autres, pour montrer à quel point c'est vanité de croire qu'on appartient exclusivement à l'une d'elles. On l'a appelé «l'assembleur de nuages», et voilà une singulière définition de l'esprit le plus exact et le plus clair qui ait été. Personne ne sait mieux isoler une théorie pour la faire voir, et jeter sur elle un rayon vif de blanche lumière; mais il aime ensuite, cessant de l'isoler et de la circonscrire, à la montrer toute proche des autres pour peu qu'on veuille voir les choses d'ensemble, et à mêler et confondre l'étoile de tout à l'heure dans une nébuleuse.

Au fond il ne croit à rien, je ne songe pas à en disconvenir, mais il n'y a jamais eu de négation plus douce, moins insolente et moins agressive. Son athéisme, qui est incontestable, est en quelque manière respectueux. Il consiste à affirmer qu'il ne faut pas s'adresser à la raison pour croire en Dieu, et que c'est lui demander ce qui n'est pas son affaire; que pour lui, Bayle, qui ne sait que raisonner, il ne peut, en conscience, nous promettre de nous conduire à la croyance, niais que d'autres chemins y conduisent, que, pour ne point les connaître, il ne se permet pas de mépriser. Il se tient là très ferme, dans cette position sûre, et dans cette attitude, qui, tout compte fait, ne laisse pas d'être modeste. Ce genre d'athéisme n'est point pour plaire à un croyant; mais il ne le révolte pas. Bien plus choquant est l'athéisme dogmatique, impérieux, insolent et scandaleux de Diderot; bien plus aussi le déisme administratif et policier de Voltaire, qui tient à Dieu sans y croire, ou y croit sans le respecter, comme à un directeur de la sûreté générale.

Quand Bayle laisse échapper une préférence entre les systèmes, et semble incliner, c'est du côté du manichéisme. Il n'y croit non plus qu'à rien, mais il y trouve, manifestement, beaucoup de bon sens. C'est qu'avec sa sûreté ordinaire de critique, sûreté qu'il tient de sa rectitude d'esprit, mais aussi qui est facile à un homme qui n'a ni préjugé, ni parti pris, ni parti, il a bien vu que tout le fond de la question du déisme, du spiritualisme, c'était la question de l'origine du mal dans le monde, que là était le noeud de tout débat, et le point où toute discussion philosophique ramène. C'est parce qu'il y a du mal sur la terre qu'on croit en Dieu, et c'est parce qu'il y a du mal sur la terre qu'on en doute; c'est pour nous délivrer du mal qu'on l'invoque, et c'est comme bien créateur du mal qu'on se prend à ne le point comprendre. Et il en est qui ont supposé qu'il y avait deux Dieux, dont l'un voulait le mal et l'autre le bien, et qu'ils étaient en lutte éternellement, et qu'il fallait aider celui qui livre le bon combat. C'est une considération raisonnable, remarque Bayle. Elle rend compte, à peu près, de l'énigme de l'univers. Elle nous explique pourquoi la nature est immorale, et l'homme capable de moralité; pourquoi l'homme lui-même, engagé dans la nature et essayant de s'en dégager, secoue le mal derrière lui, s'en détache, y retombe, se débat encore, et appelle à l'aide; elle justifie Dieu, qui, ainsi compris, n'est point responsable du mal, et en souffre, loin qu'il le veuille; elle rend compte des faits, et de la nature de l'homme et de ses désirs, et de ses espoirs, et, précisément, même de ses incertitudes et de son impuissance à se rendre compte.

Je le crois bien, puisque cette doctrine n'est pas autre chose que les faits eux-mêmes décorés d'appellations théologiques. Ce n'est pas une explication, c'est une constatation qui se donne l'air d'une théorie. Il existe une immense contrariété qu'il s'agit de résoudre, disent les philosophes ou les théologiens. Le manichéen répond: «Je la résous en disant: il existe une contrariété. Des deux termes de cette antinomie j'appelle l'un Dieu et l'autre Ahriman. J'ai constaté la difficulté, j'ai donné deux noms aux deux éléments du conflit. Tout est expliqué.»

Si Bayle penche un peu vers cette doctrine, c'est justement parce qu'elle n'est qu'une constatation, un peu résumée. Ce qu'il aime, ce sont des faits, clairs, vérifiés et bien classés. Le dualisme manichéen lui plaît, comme une bonne table des matières, sur deux colonnes. Du reste, sa démarche habituelle est de faire le tour des idées, de les bien faire connaître, d'en faire un relevé exact, et d'insinuer qu'elles ne résolvent pas grand'chose.

En politique Bayle ne se paie pas plus qu'en autre affaire de nouveautés ambitieuses et de théories systématiques. Il semble même persuadé qu'il ne faut écrire nullement sur la politique, tant les passions des hommes rendront vite défectueuses et funestes dans la pratique les plus subtiles et les plus parfaites des combinaisons sociologiques . Il est à l'opposé même des écoles qui croient qu'un grand peuple peut sortir d'une grande idée, et, là comme ailleurs, rien ne lui paraît plus faux que la prétendue souveraineté de la raison. Il est très franchement monarchiste, conservateur et antidémocrate. Sans étudier à fond la question, car la politique est au nombre des choses qui ne l'intéressent point, quand il rencontre la théorie de la souveraineté du peuple, il lui fait la suprême injure: il ne la tient pas pour une théorie. Il la prend pour un appareil oratoire à l'usage de ceux qui veulent assassiner les souverains, et complaisamment nous la montre reparaissant dans les ouvrages des tyrannicides appartenant aux écoles les plus diverses.Seulement son impartialité ordinaire est ici un peu en défaut. M. de Bonald, non sans bonnes raisons, attribuait le dogme de la souveraineté du peuple aux écoles protestantes, et c'est surtout aux jésuites que Bayle l'impute de préférence. Il n'ignore pas, et connaît trop bien pour cela la Justification du meurtre du duc de Bourgogne par Jean Petit en , que la théorie est antérieure aux jésuites aussi bien qu'aux luthériens, et il déclare même que «l'opinion que l'autorité des rois est inférieure à celle du peuple et qu'ils peuvent être punis en certains cas, a été enseignée et mise en pratique dans tous es pays du monde, dans tous les siècles et dans toutes les communions »; mais il assure que si ce ne sont pas les jésuites qui ont inventé ces deux sentiments, ce sont eux qui en ont tiré les conséquences les plus extrêmes; et il s'étend longuement sur l'apologie du crime de Jacques Clément et sur le De Rege et regis institutione de Mariana7.Evidemment, chose bien rare dans Bayle, notre auteur, ici, s'intéresse personnellement dans l'affaire. C'est un homme tranquille et timide qui a besoin d'une autorité indiscutée et inébranlable pour protéger la paix de son cabinet de travail, qui en affaires philosophiques se contente de mépriser la foule illettrée, brutale et incapable de raisonner juste, même sur ses intérêts; mais qui en choses politiques en a peur, n'aime point qu'on lui fournisse des théories à exciter ses passions, à décorer d'un beau nom ses violences et à excuser d'un beau prétexte ses fureurs; et qui, sur ces matières, est tout franchement de l'avis de Hobbes.

: (retour) Article sur Hobbes.
: (retour) Article Loyola.
: (retour) Article Mariana.

Enfin, en morale pratique, Bayle n'est pas un modéré; il est la modération même. L'excès quel qu'il soit, sauf celui du travail, qu'il ne considère pas comme un excès, le choque, le désole et le désespère. Son idéal n'est pas bien haut, et on peut dire qu'il n'a pas d'idéal; mais il semble avoir voulu prouver, et par ses paroles et par son exemple, quelle bonne règle morale ce serait déjà que l'intérêt bien entendu, avec un peu de bonté, qui serait encore de l'intérêt bien compris. Labeur, patience, égalité d'âme, contentement de peu, tranquillité, absence d'ambition et d'envie, et conviction qu'ambition et envie sont plus que des fléaux, étant des ridicules du dernier burlesque, respect des opinions des autres, sauf un peu de moquerie, pour ne pas glisser à l'absolue indifférence, c'est son caractère, et c'est sa doctrine. La mitis sapientia Læli revient à l'esprit en le lisant, en y ajoutant cum grano salis.

Tout cela en fait bien un homme qui a frayé la voie au XVIIIe siècle et qui n'a rien de son esprit. Il eût bien haï les philosophes, et les aurait raillés un peu. Un seul se rapproche de lui par beaucoup de points: c'est Voltaire, parce que Voltaire, en son fond, est ultra-conservateur, ultra-monarchiste et parfaitement aristocrate; aussi parce que Voltaire, s'il est intolérant, est partisan de la tolérance, et, s'il est assez dur, est partisan de la douceur. Ils ont des traits communs. Quand on lit Voltaire, on se prend à dire souvent: «Un Bayle bilieux.» Mais voilà précisément la différence. Aussi emporté et âpre que Bayle était tranquille et débonnaire, Voltaire, avec tout le fond d'idées de Bayle, a voulu remuer le monde, et a donné, à moitié, dans une foule d'idées qui étaient fort éloignées de ses penchants propres, si bien qu'il y a dans Voltaire une foule de courants parfaitement contradictoires; et Voltaire, dans ses colères, ses haines et ses représailles, a donné aux opinions mêmes qu'il avait communes avec Bayle, un ton de violence et un emportement qui les dénature.

Bayle représente un moment, très court, très curieux et intéressant aussi, qui n'est plus le XVIIe siècle et qui n'est pas encore le XVIIIe, un moment de scepticisme entre deux croyances, et de demi-lassitude intelligente et diligente entre deux efforts. L'effort religieux, tant protestant que catholique, du XVIIe siècle s'épuise déjà; l'effort rationaliste et scientifique du XVIIIe n'a pas précisément commencé encore. Bayle en est à un rationalisme tout négateur, tout infécond, et tout convaincu de sa stérilité. Il est du temps de Fontenelle, et Fontenelle a continué sa tradition. Trente ans plus tard, Fontenelle dira: «Je suis effrayé de la conviction qui règne autour de moi.» C'est tout à fait un mot de Bayle. Il l'aurait dit avec plus de chagrin même que Fontenelle, et personne n'aurait pu lui persuader que gens si convaincus fussent ses disciples, encore qu'il y eût bien quelque chose de cela.

III

LE «DICTIONNAIRE» LU DE NOS JOURS

A le lire maintenant pour notre plaisir, et sans chercher autrement à marquer sa place et à déterminer son influence, il est agréable et profitable. Il est très savant, d'une science sûre, et qui va scrupuleusement aux sources, et d'une science qui n'est ni hautaine, ni hérissée, ni outrageante. Figurez-vous qu'il n'injurie pas ceux qu'il corrige. Très modeste en son dessein, il n'avait, en commençant, que l'intention de faire un dictionnaire rectificatif, un dictionnaire des fautes des autres dictionnaires, et il a toujours poursuivi ce projet, tout en l'agrandissant. Et, nonobstant ce rôle, il es très indulgent et aimable. Il manque rarement de commencer ainsi son chapitre rectificatif: «'ai peu de fautes à relever dans Moréri...» sur quoi il en relève une vingtaine; mais voilà au moins qui est poli.

Son livre est mal composé; il est éminemment disproportionné. La longueur des chapitres ne dépend pas de l'importance de l'homme ou de la question qui en fait le sujet; elle dépend de la quantité de s qu'avait sur ce sujet M. Bayle. Des inconnus, dont tout ce que Bayle écrit sur eux ne sert qu'à démontrer qu'ils étaient dignes de l'être et de rester tels, s'étalent comme insolemment sur de nombreuses pages énormes. Des gloires sont étouffées dans un paragraphe insignifiant. D'Assouci tient dix fois plus de place que Dante. C'est que Bayle est sceptique si à fond qu'il l'est jusque dans ses habitudes de travail. Il est si indifférent qu'il s'intéresse également à toutes choses; et Aristote ou Perkins, c'est tout un pour lui. L'un n'est autre chose qu'une curiosité à satisfaire et une rechercher à poursuivreet l'autre aussi. Personne n'a été comme Bayle amoureux de la vérité pour la vérité, sans songer à voir ou à mettre entre les vérités des degrés d'importance. Il en résulte, sauf une petite réserve que nous ferons plus tard, que son livre va un peu au hasard, comme il croyait qu'allait le monde. Il ne semble pas qu'il y ait beaucoup de providence ni beaucoup de finalité dans cet ouvrage.

Ce dictionnaire devrait s'intituler: ce que savait M. Bayle. Ce qu'il savait, c'était la mythologie, l'histoire et la géographie ancienne, l'histoire des religions (très bien, admirablement pour le temps), la théologie proprement dite, la philosophie, l'histoire européenne du XVIe et du XVIIe siècle.Ce qu'il savait moins et ce qu'il aimait peu, c'était la littérature, la poésie, l'histoire du moyen âge.Ce qu'il ne savait pas du tout, c'étaient les sciences. Ce qu'on trouve dans ce dictionnaire, c'est donc une histoire à peu près complète, et souvent d'un détail infini et très amusant, de l'Europe et surtout de la France de à , une mythologie intéressante, des particularités d'histoire ancienne, et presque une histoire complète du développement du christianisme, et presque une histoire complète des philosophies; et ni Voltaire, quand il travaille à son Dictionnaire philosophique, ni Diderot quand il travaille à la partie philosophique de l'Encyclopédie, n'ignorent ces deux derniers points.

Le trésor est donc beau, si les lacunes sont considérables. Quelque chose est plus désobligeant que les lacunes: ce sont les commérages et les obscénités. Le mépris bienveillant de Bayle pour les hommes et la conviction où il est qu'ils ne liraient point un livre où il n'y aurait ni polissonneries ni propos de concierge, ne suffit vraiment pas à excuser l'auteur. Nous savons lire, et nous ne prenons pas le change sur ces choses. Il est parfaitement clair que Bayle se plaît personnellement et bien pour son compte à ces récits ridicules, ou scabreux. Il goûte ces plaisirs secrets de petite curiosité malsaine qui sont le péché ordinaire, sauf exceptions, Dieu merci, des vieux savants solitaires et confinés. Il lui manque d'être homme du monde. Il ne l'est ni par le bon goût, ni par la discrétion ou brièveté dédaigneuse sur certains sujets, ni par l'indifférence a l'égard des choses qui sont la préoccupation des collégiens et des marchandes de fruits. Il devait bavarder avec sa gouvernante en prenant son repas du soir. Son livre, comme souvent ceux de Sainte-Beuve, sent quelquefois l'antichambre et un peu l'office. Et voyez le trait de ressemblance, et voyez aussi qu'il faut s'attendre à la pareille: la principale question qui a inquiété Sainte-Beuve en son article sur Bayle a été de savoir si M. Bayle a été l'amant de Madame Jurieu.

Sans trop les lui reprocher, il faut signaler encore ses artifices et ses petites roueries de faux bonhomme. Il use d'abord de la classique ruse de guerre employée, ce me semble, déjà avant Montaigne, et, depuis Montaigne jusqu'à nos jours, tellement pratiquée, qu'elle ne trompe personne, et même que personne n'y fait attention. Elle consiste, comme vous savez bien, à présenter l'impuissance de la raison à démontrer Dieu comme une preuve de la nécessité de la foi, et par conséquent tout livre rationnellement athéistique comme une introduction à la vie dévote. A ce compte, on est bien tranquille. Bayle a abusé de ce détour. Ce lui devient une clausula et comme un refrain. On est toujours sûr à l'avance que tout article sur le platonisme, le manichéisme, le socinianisme, la création, le péché originel ou l'immortalité de l'âme, finira par là.

Il a d'autres stratagèmes, j'ai presque envie de dire d'autres terriers. C'est là où l'on cherche sa pensée sur les questions graves et périlleuses qu'on ne la trouve pas, le plus souvent. C'est dans un article portant au titre le nom d'un inconnu, que Bayle, comme à couvert, et protégé par l'obscurité du sujet et l'inattention probable du lecteur, ose davantage, et traite à fond un problème capital, au coin d'une qui s'enfle et sournoisement devient une brochure. Aussi faut-il le lire tout entier, comme un livre mal fait; car son livre est mal fait, moitié incurie (au point de vue artistique), moitié dessein, et prudence, et malice. Sainte-Beuve dit que c'est un livre à consulter plutôt qu'à lire. C'est le contraire. A le consulter on croit qu'il n'y a presque rien; à le lire on fait à chaque pas des découvertes là précisément où l'on se préparait à tourner deux feuillets à la fois. C'est le livre qu'il faut le moins lire quatre à quatre.

Et à lire jusqu'au bout on découvre une chose qui est bien à l'honneur de Bayle: c'est que tous ces défauts que je viens d'indiquer diminuent et s'effacent presque à mesure que Bayle avance. Les histoires grasses ou saugrenues deviennent plus rares, les questions philosophiques et morales attirent de plus en plus l'attention de l'auteur, la commère cède toute la place au philosophe, l'ouvrage devient proprement un dictionnaire des problèmes philosophiques. On le voit finir avec regret.

Tout compte fait, c'est une substantielle et agréable lecture. C'est le livre d'un honnête homme très intelligent avec un peu de vulgarité. Son impartialité, relative, comme toute impartialité, mais réelle, sa modestie, sa loyauté de savant, nonobstant ses petites ruses et malignités de bon apôtre, surtout son solide, profond et plein esprit de tolérance, le font aimer quoi qu'on en puisse avoir. La tolérance était son fond même, et l'étoffe de son âme. Quand il s'anime, quand il s'élève, quand il oublie sa nonchalance, quand il montre soudain de l'ardeur, de la conviction, une manière d'onction même, c'est qu'il s'agit de tolérance, c'est qu'il a à exprimer son horreur des persécutions, des guerres civiles, des guerres religieuses, du fanatisme, de la stupidité de la foule tuant pour le service d'une idée qu'elle ne comprend pas, et en l'honneur d'un contresens. Il n'a pas dit: «Aimez-vous les uns les autres»: mais il a répété toute sa vie, avec une véritable angoisse et une vraie pitié: «Supportez-vous les uns les autres.» C'est là qu'est la différence, et pourquoi il ne faut pas dire comme Voltaire: «C'était une âme divine.» Mais c'était une âme honnête, droite et bonne.

Malgré sa prolixité, il est extrêmement agréable à lire; car si ses articles sont longs, son style est vif, aisé, franc, et va quelquefois jusqu'à être court. Il a deux manières, celle du haut des pages et celle des s. En grosses lettres il est sec, compact, tassé et lourd; en petit texte il s'abandonne, il cause, il laisse abonder le flot pressé de ses souvenirs, il plaisante, avec sa bonhomie narquoise, malicieuse et prudente, et très souvent, presque toujours, il est charmant. On dirait un de ces professeurs qui en chaire sont un peu gourmés, contraints et retenus, mais qui vous accompagnent après le cours tout le long des quais, et alors sont extrêmement instructifs, amusants, profonds et puissants, à la rencontre, et se sentent tellement intéressants qu'ils ne peuvent plus vous quitter. C'est au sortir du cours qu'il faut prendre Bayle; tout le suc de sa pensée et toute la fleur de son esprit sont dans ses s, dont certaines sont des chefs-d'oeuvre. Ici encore on retrouve la timidité un peu cauteleuse de Bayle, qui ne se décide à se livrer que dans un semblant de huis-clos, dans un enseignement au moins apparemment confidentiel.

Il a beaucoup d'esprit, et un esprit très particulier, une manière d'humour naïve, de malice qui semble ingénue, avec toutes sortes d'épigrammes qui ressemblent à des traits de candeur. C'est le scepticisme joint à la bonté qui produit de ces effets-là: «Desmarets avait raison contre Boileau8, mais Boileau avait pour lui d'avoir amusé. Les raisons de Desmarets avaient beau être solides; la saison ne leur était pas favorable. C'est à quoi un auteur ne doit pas moindre garde qu'un jardinier.» Voilà sa manière. Elle est bien aimable. Voyez-vous le geste arrondi et paternel et le demi-sourire dans une demi-moue?De même: «Nous regardons la stupidité comme un grand malheur. Les pères qui ont les yeux assez bons pour s'apercevoir de la bêtise de leurs fils s'affligent extrêmement: ils leur voudraient voir un grand génie. C'est ignorer ce qu'on souhaite. Il eût cent fois mieux valu à Arminins d'être un hébété que d'avoir tant d'esprit; car la gloire de donner son nom à une secte est un bien chimérique en comparaison des maux réels qui abrégèrent ses jours, et qu'il n'aurait point sentis s'il eût été un théologien à la douzaine, un de ces hommes dont on fait cette prédiction qu'ils ne feront point d'hérésie.» Ce ton de plaisanterie atténuée, adoucie et fourrée d'hermine, est admirable.Voyez encore cette remarque pleine de gravité, et le beau sérieux avec lequel elle est faite: «La discipline du célibat paraît incommode à une infinité de gens: le mariage est pour eux celui de tous les sacrements dont la participation paraît la plus chère et précieuse; et qui voudrait faire sur ce sujet un livre semblable à celui de la Fréquente communion se rendrait aussi odieux que M. Arnauld le devint quand il publia, sur une autre matière, un ouvrage qui a fait beaucoup de bruit.»Quelquefois la plaisanterie de Bayle est plus lourde; quelquefois, très rarement, elle devient plus méchante.

: (retour) J'abrège le texte.
Le scepticisme est désenchantement, et le désenchantement, de quelque bonté qu'il s'accompagne, ne peut pas aller toujours sans amertume. M. Renan a une page, une seule, qui est du Swift. Bayle a la sienne, peut-être en a-t-il deux; mais je dois exagérer: «Les disputes, les confusions excitées par des esprits ambitieux, hardis, téméraires, ne sont jamais un mal tout pur... Il en résulte des utilités par rapport aux sciences et à la culture de l'esprit. Il n'est pas jusqu'aux guerres civiles dont on n'ait pu quelquefois affirmer cela. Un fort honnête homme l'a fait à l'égard de celles qui désolèrent la France au XVIe siècle. Il prétend qu'elles raffinèrent le génie à quelques personnes, qu'elles épurèrent le jugement à quelques autres, et qu'elles servirent de bain aux uns, aux autres d'étrille... A la vérité, le public se passerait bien de telles étrilles ou de telles limes.» Voilà, à peu près, jusqu'où va l'amertume de Bayle; elle n'est pas rude; il n'aurait pas écrit Candide. Mais on voit très bien qu'il aurait été très capable de le concevoir.

Il suffit pour montrer combien la lecture de Bayle est non seulement instructive et suggestive, mais combien agréable, attachante, enveloppante et amicale. C'est un délicieux causeur, savant, intelligent, spirituel, un peu cancanier et un peu bavard. Il dit souvent qu'il écrit pour ceux qui n'ont pas de bibliothèque et pour leur en tenir lieu. Je le crois bien, et il a fort bien atteint son but. Il était lui-même une bibliothèque, une grande et savante bibliothèque, incomplète à la vérité, et un peu en désordre, avec de mauvais livres dans les petits coins.

IV

C'est l'homme dont les hommes du XVIIIe siècle ont fait comme leur moelle et leur substance, et cela est amusant. Cela prouve (et j'ai trop dit que Bayle s'en fût irrité, il s'en fût amusé un peu lui-même) que le scepticisme est absolument inhabitable pour l'homme. L'homme est un animal qui a besoin d'être convaincu. Voilà un auteur qui, d'un solide bon sens et d'une rectitude d'esprit surprenante, détruit tous les préjugés, ne laisse debout que la raison, et ajoute, en le prouvant, que la raison ne mène à rien, et n'est qu'un dernier préjugé plus flatteur et séduisant que les autres. Ses disciples font de la raison une nouvelle foi, une nouvelle idole et un nouveau temple, et du scepticisme de leur maître trouvent moyen de tirer un dogmatisme aussi impérieux, aussi orgueilleux, aussi batailleur et aussi redoutable au repos public que tout autre dogmatisme. De cet homme qui ne croyait à rien ils tirent des raisons à démontrer qu'il faut croire à eux; et de ce contempteur de l'humanité ils tirent des raisons à prouver que l'humanité doit s'adorer elle-même, puisqu'elle n'a plus autre chose à adorer, ce qui est une conséquence un peu ridicule, mais parfaitement naturelle. Et Bayle, par le plus singulier détour, mais à prévoir, se trouve être le promoteur d'une croyance et le fondateur bien authentique, encore que bien involontaire, d'une religion. Imaginez Montaignecurrente rota, cur urceus exit? car il faut citer du latin quand on parle de Montaignedevenant chef de secte. La roue aurait pu tourner ainsi; personne n'est le potier de soi-même.

Ce qui eût consolé Bayle, si tant est qu'il en eût eu besoin, car il était peu inconsolable, c'est qu'il avait réfuté à l'avance ses disciples dévots jusqu'à le travestir; c'est qu'il n'y a guère aucune de leurs théories dont il n'ait, comme par provision, dénoncé la témérité et raillé la vanité présomptueuse; et c'est qu'il est un précurseur de XVIIIe siècle qui en dégoûte.Il eût pu très légitimement se laver les mains de ce qu'on tenait pour son ouvrage, et qui, tout compte fait, l'était un peu. Une dernière chose l'eût fait sourire sur la terre, à savoir son influence, et la direction, très inattendue de lui, de son propre prolongement parmi les hommes. Il aurait considéré cette dernière aventure comme une de ces bonnes folies de l'humanité dont il se divertissait doucement, comme une des bonnes «scènes de la grande comédie du monde», comme un effet des «maladies populaires de l'esprit humain»; et il n'est pas à croire que son scepticisme désenchanté et malicieux en eût été diminué.

FONTENELLE

Le XVIIIe siècle commence par un homme qui a été très intelligent et qui n'a été artiste à aucun degré. C'est la marque même de cet homme, et ce sera longtemps la marque de cette époque. Ce qui manque tout d'abord à Fontenelle d'une manière éclatante, c'est la vocation, et la vocation c'est l'originalité, et l'originalité, si elle n'est point le fond de l'artiste, du moins en est le signe. Il vient à Paris, de bonne heure, non point, comme les talents vigoureux, avec le dessein d'être ceci ou cela, mais avec la volonté d'être quelque chose. Et ce que pourra être ce quelque chose, Dieu, table ou cuvette, il n'en sait rien. «Prose, vers, que voulez-vous?» Il n'est pas poète dramatique, ou moraliste, ou romancier. Il est homme de lettres. La chose est nouvelle, et le mot n'existe même pas encore. Il fait des tragédies puisqu'il est le neveu des Corneille, des opéras puisque l'opéra est à la mode, des bergeries en souvenir de Segrais, et des lettres galantes en souvenir de Voiture. Il a en lui du Thomas Corneille, du Benserade, du Céladon et du Trissotin.Plusieurs disent: «C'est un sot; mais il est prétentieux. Il réussira.» Il était prétentieux; mais il n'était point sot. Ce qui devait le sauver, et déjà lui faisait un fond solide, c'était sa curiosité intelligente. Ce poète de ruelles, ce «pédant le plus joli du monde», faisait avant la trentaine des «retraites» savantes, comme d'autres des retraites de piété. Il disparaissait pendant quelques jours. Où était-il? Dans une petite maison du faubourg Saint-Jacques, avec l'abbé de Saint-Pierre, Varignon le mathématicien, d'autres encore qui tous «se sont dispersés de là dans toutes les Académies». Tous jeunes, «fort unis, pleins de la première ardeur de savoir», étudiaient tout, discutaient de tout, parlaient, à eux quatre ou cinq, «une bonne partie des différentes langues de l'Empire des lettres», travaillaient énormément, se tenaient au courant de toutes choses.C'est le berceau du XVIIIe siècle, cette petite maison du faubourg Saint-Jacques. Un savant, un publiciste idéologue, un historien, un mondain curieux de toutes choses, déjà journaliste, d'un talent souple, et tout prêt à devenir un vulgarisateur spirituel de toutes les idées; ces gens sont comme les précurseurs de la grande époque qui remuera tout, d'une main vive, laborieuse et légère, avec ardeur, intempérance et témérité.De tous Fontenelle est le mieux armé en guerre et par ce qu'il a, et par ce qui lui manque. Il est de très bonne santé, de tempérament calme, de travail facile et de coeur froid. Il n'a aucune espèce de sensibilité. Ses sentiments sont des idées justes: loyauté, droiture, fidélité à ses amis, correction d'honnête homme. On se donne ces sentiments-là en se disant qu'il est raisonnable, d'intérêt bien compris et de bon goût de les avoir. Il n'est point amoureux, et rien ne le montre mieux que ses poésies amoureuses. Il a, avec tranquillité, des mots durs sur le mariage: «Marié, M. de Montmort continua sa vie simple et retirée, d'autant plus que, par un bonheur assez rare, le mariage lui rendit la maison plus agréable.» Il est ferme et malicieux dans la dispute, mais non passionné. Il est de son avis, mais il n'est pas de son parti. Son amour-propre même n'est pas une passion. C'est dire que la passion lui est inconnue. Il est né tranquille, curieux et avisé. Il est né célibataire, et il était centenaire de naissance. Plusieurs dans le XVIIIe siècle seront ainsi, même mariés, par accident, et mourant plus tôt, par aventure.

.

I

SES IDÉES LITTÉRAIRES ET SES OEUVRES LITTÉRAIRES

Ainsi constitué, il était fait pour avoir toute l'intelligence qui n'a pas besoin de sensibilité. Cela ne va pas si loin qu'on pense. Car l'intelligence, même des idées, a besoin de l'amour des idées pour se soutenir. Fontenelle ne comprendra rien aux choses d'art, et, tout en comprenant admirablement toutes les idées, il n'aura jamais pour elles la passion qui fait qu'on en crée, qu'on les multiplie, qu'on les poursuit, qu'on les unit, qu'on les coordonne, qu'on en fait des systèmes puissants, faux parfois, mais animés d'une certaine vie, parce qu'on a jeté en elles une âme humaine. Nous verrons cela plus tard. Pour le moment considérons-le dans les choses d'art. Véritablement, il n'y entre pas du tout. On a remarqué que, si en avance et vraiment précurseur au point de vue philosophique, il est arriéré en choses de lettres. Cela est très vrai. Sa poésie et sa fantaisie sont du goût de Louis XIII. Ses tragédies sont d'un homme qui est neveu de Corneille, mais qui a l'air d'être son oncle. Elles ont des grâces surannées et de ces gestes de vieil acteur qui semblent non seulement appris, mais appris depuis très longtemps.Ses opéras, qui sont très soignés, sont d'un homme naturellement froid, qui s'est instruit à pousser le doux, le tendre et le passionné. Ses Bergeries sont bien curieuses. Elles ne sont pas fausses, ce qui est, en fait de bergeries, une nouveauté bien singulière. On sent que cela est écrit par un homme avisé qui sait très bien où est l'écueil, et qu'on a toujours fait parler les pâtres comme des poetes. Les siens ne sont pas de beaux esprits ni des philosophes, et il faut lui en tenir compte. Mais ce n'est là qu'un mérite négatif, et n'être pas faux ne signifie point du tout être réel. Les bergers de Fontenelle ne sont point faux; ils n'existent pas. Ils n'ont aucune espèce de caractère. Il a voulu qu'ils ne fussent ni grossiers, ni spirituels, ni délicats, ni comiques, ni tragiques. Restait qu'ils ne fussent rien. C'est ce qui est arrivé. Il semble que Fontenelle voudrait peindre simplement des hommes oisifs et voluptueux. Mais il faut encore une certaine sensibilité, d'assez basse origine, mais réelle, pour composer des scènes voluptueuses, Fontenelle n'est pas assez sensible pour être un Gentil-Bernard. On sent qu'il ne s'intéresse pas le moins du monde au succès des tentatives galantes de ses héros et ne tiendrait nullement à être à leur place. On voit aisément dès lors combien ces scènes sont laborieusement insignifiantes. C'est une chose d'une tristesse morne que les juvenilia d'un homme qui n'a jamais eu de jeunesse.Cette singulière destinée d'un écrivain qui, après Molière et Racine, jouait le personnage d'un contemporain de Théophile, a dû bien surprendre, et, en effet, elle a étonné les hommes de l'école de , les Boileau et La Bruyère. Ce «Cydias», ce «petit Fontenelle» leur est souverainement désagréable, et leur paraît étrange. Le phénomène, de soi, n'est pas surprenant. Fontenelle est l'homme de lettres par excellence, l'homme intelligent qui n'a en lui aucune force créatrice, mais qui est doué d'une grande facilité d'assimilation et d'exécution. Ces gens-là ne devancent jamais, en choses d'art; ils imitent, et non pas toujours la dernière manière, celle de leurs prédécesseurs immédiats. N'ayant point d'inspiration personnelle, ils s'en sont fait une avec les objets de leurs premières admirations et de leurs premières études, et cette influence, chez eux, persiste longtemps. Fontenelle, en littérature pure, est un homme qui adore l'Astrée, comme fait La Fontaine, mais qui ne sait pas, comme La Fontaine, la transformer en lui. Il la réédite, et, n'était une autre direction que son esprit devait prendre, il aurait toujours écrit l'opéra de Psyché, moins les deux ou trois passages partis du coeur, c'est-à-dire une Astrée un peu moins longue.Sa critique est comme ses poésies, et les explique bien. Le sentiment du grand art y manque absolument.Et il est très intelligent!Sans aucun doute; mais c'est une erreur de croire qu'il ne faille pour comprendre les choses d'art que de l'intelligence. Il y faut un commencement de faculté créatrice, un grain de génie artistique, juste la vertu d'imagination et de sensibilité qui, plus forte d'un degré, ou de dix, au lieu de comprendre les oeuvres d'art, en ferait une. On n'entend bien, en pareille affaire, que ce qu'on a songé à accomplir, et ce qu'on est à la fois impuissant à réaliser et capable d'ébaucher. Le critique est un artiste qui voit réalisé par un autre ce qu'il n'était capable que de concevoir; mais pour qu'il le voie, il fallait qu'il pût au moins le rêver.Fontenelle n'a pas même eu le rêve du grand art. Il n'aime point l'antiquité. Il lui fait une petite guerre indiscrète, ingénieuse et taquine, qui n'a point de trêve. À chaque instant, dans les ouvrages les plus divers, nous lisons: «... Et voilà les raisonnements de cette antiquité si vantée». «Nous ne sommes arrivés à aucune absurdité aussi considérable que les anciennes fables des Grecs; mais c'est que nous ne sommes point partis d'abord d'un point si absurde».Il faut se débarrasser «du préjugé grossier de l'antiquité». Il y a là pour lui comme une obsession. On dirait un chrétien du IIIe siècle attaquant les païens, ou un homme de parti de notre temps qui ne peut dire une parole, dans l'entretien le plus indifférent, sans exprimer son horreur pour le parti adverse.Et, en effet, sa critique, toute de détail, a bien ce caractère. Dans son Discours sur la nature de l'Églogue, il fait son procès à Théocrite, puis à Virgile, reprochant à l'un surtout d'être trop bas, et à l'autre surtout d'être trop haut, mais trouvant moyen aussi de montrer qu'il arrive à Théocrite d'être trop haut et à Virgile d'être trop bas. C'est une série de chicanes puériles.Quand lui-même s'élève un peu, et laisse cette petite guerre pour des considérations plus sérieuses, il montre une inquiétante infirmité. Il n'atteint pas la grande poésie, c'est-à-dire la poésie. Le Silène de Virgile lui paraît une étrange absurdité, à lui, homme de science, et qui, ailleurs, comprend la majesté de la nature. C'est que Silène est lyrique, et c'est le lyrisme qui est la chose la plus étrangère à ces beaux esprits du XVIIIe siècle commençant, aux Lamotte, aux Terrasson, et tout aussi bien, quoique «anciens», aux Dacier. C'est ce sens de la grande poésie qui manquera aux plus grands hommes du XVIIIe siècle, et, s'ajoutant à d'autres causes, les maintiendra dans le mépris de l'antiquité dont précisément le caractère est d'avoir converti en poésie tout ce qu'elle touchait.Il ne faut pas croire qu'en cela le XVIIIe siècle soit la suite du XVIIe. L'école de a été peu lyrique, il est vrai, et il est bien arrivé à Boileau de dire que l'excellence des anciens consiste à peindre élégamment les petites choses[13]; mais Racine comprenait la poésie des grandes passions tragiques autant que faisaient les anciens, et trop même pour être bien entendu de son temps; et Fénelon avait le sens de la grande mythologie, et d'Homère, autant que de Virgile; et Boileau, «moderne» en cela au vrai sens du mot, défend contre Perrault, non seulement Homère et Pindare, mais le lyrisme des poètes hébreux, et donne à ce propos la définition de la poésie lyrique en homme qui sait ce que c'est.C'est bien vers que les hommes de prose, ou de poésie prosaïque, prennent le dessus, parce que quelque chose disparaît alors, qui, tout compte fait, et sauf très rare exception, ne reparaîtra qu'un siècle après, l'enthousiasme littéraire, le goût ardent du beau pour le beau, ce qui fait les grands artistes en vers, les grands orateurs, et même les grands critiques.Soit, et de grande poésie, et de lyrisme, et de Lucrèce non plus que d'Homère, qu'il ne soit plus question. Mais quand les enthousiastes s'éloignent, les réalistes arrivent. C'est une loi d'histoire littéraire en effet, et nous verrons qu'au XVIIIe siècle elle s'est vérifiée. Mais rien ne montre à quel point Fontenelle, en choses d'art, était un arriéré et non un précurseur, comme ceci qu'il a été encore moins réaliste qu'enthousiaste. Il a tout une théorie sur l'Églogue14. C'est là qu'il trouve Virgile tour à tour trop vulgaire et trop noble. Admettons. Que faut-il donc être dans les Bergeries? Il faut sans doute être vrai, nous montrer cette poésie, plus humble, moins ambitieuse que l'autre, qui est dans le travail de l'homme, dans son rude et patient effort, dans ses joies simples et naïves. L'inquiétude du pâtre pour ses chèvres, du laboureur pour ses boeufs ou ses blés qui poussent; et aussi les vignerons attablés, les moissonneurs buvant à la dernière gerbe...Nullement. «La poésie pastorale n'a pas grand charme si elle ne roule que sur les choses de la campagne. Entendre parler de brebis et de chèvres, cela n'a rien par soi-même qui puisse plaire.»Qu'est-ce donc qui plaira, et qu'est-ce qui fait la poésie des hommes des champs? Pour Fontenelle c'est leur oisiveté. Les hommes aiment à ne rien faire; ils «veulent être heureux, et voudraient l'être à peu de frais». La tranquillité des campagnards, voilà le fond du charme des églogues, et c'est pour cela que les poètes ont choisi pour héros de ces ouvrages, non les laboureurs qui travaillent péniblement, ou les pêcheurs qui peinent si fort; mais les bergers, qui ne font rien.C'est bien cela. L'Astrée, et non les Géorgiques. A défaut de la poésie qui est l'expression des plus beaux rêves de l'homme, Fontenelle ne comprend pas même celle qui est l'expression de sa vie réelle dans la simplicité touchante de ses douleurs et de ses joies, et plus que le Silène de Virgile, il ne goûterait les paysans de La Fontaine.Que lui reste-t-il? Rien, absolument rien. Et c'est bien pour cela qu'il ne sent point l'antiquité, qui, précisément, a, tour à tour, ouvert ces deux sources éternelles de poésie. A la vérité, s'il a persisté dans cette erreur de jugement, il ne s'est point entêté dans l'erreur plus forte qui consistait, n'entendant rien à la poésie, à en faire. Il était très souple, et quoique vain, très avisé. Il vit assez vite, non point qu'il n'était pas poète, mais qu'on ne goûtait pas sa poésie. Il y renonça, et, comme il a dit dans le plus mauvais vers de la littérature française,

Et son carquois oisif à son côté pendait.

Sur quoi il se contenta quelque temps d'être homme d'esprit. Il l'était véritablement, et de la bonne sorte, et de la mauvaise, et de toutes les façons dont on peut l'être. Il y a en lui du Voiture, du Le Sage et du Voltaire. Là encore il est arriéré et bel esprit de province, mais de son temps aussi, fréquemment, et même du temps qui va venir. Ses Lettres Galantes, que Voltaire ne peut pas souffrir, sont le plus souvent, en effet, du pur Benserade, mais parfois aussi ont bien du piquant et un joli tour. Le fond en est d'une cruelle insignifiance. Figurez-vous des chroniques comme nos journaux en publient à notre époque. Un mariage, un procès, une dame qui change de soupirant, le tout vrai ou supposé, et là-dessus des turlupinades. Il y en a d'exécrables. A une jeune personne protestante, qui, pour se marier avec un catholique, changeait de religion: «... Nous regardons avec beaucoup de pitié nos pauvres frères errants; mais j'en avais une toute particulière pour une aimable petite soeur errante comme vous. J'étais tout à fait fâché de croire que votre âme, au sortir de votre corps, ne dût pas trouver une aussi jolie demeure que celle qu'elle quittait...» Il y en a de plaisantes, sinon comme idées, du moins comme grâce de geste, pour ainsi dire, et de mot jeté: «Il y a longtemps, Madame, que j'aurais pris la liberté de vous aimer, si vous aviez le loisir d'être aimée de moi... Gardez-moi, si vous voulez, pour l'avenir; j'attendrai quinze ou vingt ans, s'il le faut. Je me passerai à un peu moins d'éclat que vous n'en avez aujourd'hui... Aussi bien y a-t-il beaucoup de superflu dans votre beauté. Je ne veux que le nécessaire, que vous aurez toujours... Je ne vous demande que ce temps de votre vie que vous auriez donné aux réflexions. Au lieu de rêver creux, ou de ne rêver à rien, vous pourrez rêver à moi. Adieu, Madame, jusqu'à nos amours.»Sans doute, il y a encore du Mascarille dans tout cela; mais comme l'allure est vive, la phrase preste, et combien aisée, en sa précision rapide, la pirouette sur le talon: «Adieu, Madame, jusqu'à nos amours.»On peut mesurer la distance parcourue depuis Voiture, d'autant mieux que le fond est le même. Grâce au travail des auteurs comiques et de La Rochefoucauld et de La Bruyère, la grande phrase patiemment tressée du commencement du XVIIe siècle s'est dénouée et assouplie, et désormais on peut être entortillé en phrases courtes. C'est l'instrument au moins qui est créé, la phrase rapide et cinglante, qui va être si redoutable aux mains d'un Voltaire.

Ailleurs c'est l'épigramme émoussée, la malice sournoise, le «coup de patte» lancé de côté et retiré du même mouvement, si familier à Le Sage, et qui est une des grâces de l'esprit que nous goûtons le plus: «Mes souhaits sont accomplis, j'ai un successeur... Je vous assure que j'ai désiré avec un égal empressement la tendresse, et l'indifférence de Madame de L. Enfin je les ai obtenues toutes deux l'une après l'autre, et c'est sans doute tirer d'une personne tout ce qui s'en peut tirer.»C'est ici même le genre d'esprit particulièrement propre à Fontenelle, homme d'ironie couverte et qui sourit du coin des yeux. Nous la retrouverons souvent dans les Éloges: «M. Dodart était laborieux. Ses amusements étaient des travaux moins pénibles. Il lisait beaucoup sur les matières de religion; car sa piété était éclairée, et il accompagnait de toutes les lumières de la raison la respectable obscurité de la foi.» Le bon apôtre! Nous voilà bien au temps des Lettres

Persanes, et Cydias, avec cette adresse à manier la langue, à lancer l'épigramme et surtout à la retenir, n'est plus ce je ne sais quoi «immédiatement au-dessous de rien» qu'il était au temps de La Bruyère.

II

SES IDÉES ET SES OUVRAGES PHILOSOPHIQUES

Il avait en effet assez d'intelligence, d'esprit et de style pour occuper une grande place dans le monde des lettres, à la condition de trouver sa voie. Il était de ceux qui ne la trouvent point tout de suite parce qu'ils n'ont ni passion, ni faculté dominante. Il était de ceux qui peuvent ne jamais la trouver, précisément parce qu'ils ont l'esprit souple, et s'accommodent du premier chemin qui s'ouvre à eux. Ils ont besoin des circonstances. Les circonstances servirent admirablement Fontenelle. Le moment où il parut dans le monde, celui surtout où il commençait à être connu sans être encore illustre, était le temps où les découvertes scientifiques attiraient vivement les esprits curieux, comme était le sien. La science moderne date du XVIIe siècle. Descartes, Leibniz, Newton, coup sur coup, presque en même temps, font aux yeux de l'intelligence un monde nouveau, renouvellent la matière des méditations de l'esprit humain. Les littérateurs du XVIIe siècle sont trop de purs artistes pour avoir tendu l'oreille de ce côté, et pourtant, comme ils sont moralistes, très prompts à observer les changements des goûts, ils n'ont pas été sans s'apercevoir de cet état nouveau des esprits et de son influence au moins sur les moeurs. Descartes inquiète La Fontaine, l'astrolabe de madame de la Sablière préoccupe Boileau, et Molière fait une place, d'avance, à madame du Châtelet ou à la «marquise» de la Pluralité des mondes dans son salon, agrandi désormais, des Précieuses.Au commencement du XVIIIe siècle, ce mouvement s'accuse de plus en plus. Fontenelle y prit garde de très bonne heure. Il n'était pas plus lettré, de vocation, que savant. Il était intelligent et curieux. Il s'occupa de sciences comme de pastorales. Seulement les sciences avaient plus de raisons de l'attirer. Elles étaient chose de mode, et il était homme à suivre la mode, comme tous ceux qui n'ont pas une forte originalité. Surtout elles étaient chose que l'antiquité n'avait point connue, et c'était le point sensible de Fontenelle. Les sciences ont été d'abord pour lui un élément essentiel de la querelle des anciens et des modernes. S'il est une idée à laquelle tient un peu cet homme qui ne tenait à rien, c'est que l'on n'a pas dit grand'chose de bon avant lui, ou, sinon avant lui (car il est de bon ton et, même en le pensant un peu, ne le dirait point), avant le temps où il a eu l'honneur de naître. Il n'a pas le sens de l'admiration, ni le respect de la tradition, et «le préjugé grossier de l'antiquité» n'est point son fait. Il est «homme de progrès.» Dans l'idée du progrès il y a de très bons sentiments, et toujours aussi une très notable partie de fatuité. Tout au fond du Fontenelle savant et ami des sciences, personnage très respectable, en cherchant bien, en cherchant trop, on trouverait encore un peu de Cydias. Voyez-le dans ses premiers ouvrages, les Dialogues des morts, par exemple. Sa malice, et elle est piquante, est toute en paradoxes, et en adresses légères à taquiner les opinions reçues. Elle consiste à prouver combien Phryné est incomparablement supérieure à Alexandre, autant que les conquêtes pacifiques l'emportent sur les conquêtes meurtrières; à montrer Socrate s'inclinant devant la sagesse de Montaigne, etc. Ce n'est point seulement un jeu. Fontanelle n'aime point les idées traditionnelles. Elles ont d'abord le tort de n'être plus spirituelles, ensuite celui de supposer que nos pères étaient aussi habiles que nous. Très doucement, en homme du monde, il a continué pendant quelque temps cette petite guerre, qui était le prélude de la guerre de Cent Ans du XVIIIe siècle. Le christianisme, par exemple, sans le gêner, car qu'est-ce qui pouvait gêner cet homme si souple et qui glissait dans toute étreinte? l'importunait quelque peu. C'est que le christianisme aussi est une antiquité, sans compter qu'il est un sentiment. Il l'a attaqué obliquement, et, du premier coup, en stratégiste consommé. Sous couleur d'attaquer les erreurs de l'antiquité païenne, il fait deux petits traités, l'un sur «l'Origine des fables», l'autre sur «les Oracles», qui sont de petits chefs-d'oeuvre de malice tranquille et grave, et de scepticisme à la fois discret et contagieux. Il y laisse tomber comme par mégarde quelques gouttes d'une essence subtile qui, destinées à détruire les préjugés antiques, doivent d'elles-mêmes se répandre dans les esprits à la perte de toute croyance. Le procédé est habile, l'adresse légère, l'art très délicat. Les fables ne sont point l'effet d'un artifice et d'une tromperie grossière. Il ne serait pas bon qu'on le crût: on aurait confiance quand à l'origine des croyances on ne verrait pas de thaumaturge. Elles sont des produits naturels de l'ignorance aidée de l'imagination. Tous les peuples, en leur âge grossier, en ont eu, qui, peu à peu, se sont parées des prestiges de l'art, et, parfois, recommandées de quelques considérations morales. Il ne faut pas les détester, il faut s'en débarrasser doucement par l'efficace de la raison. Car nous avons les nôtres, moins ridicules que celles des anciens, mais que le temps nous fait chérir comme eux les leurs. «Nous savons aussi bien qu'eux étendre et conserver nos erreurs, mais heureusement elles ne sont pas si grandes, parce que nous sommes éclairés des lumières de la vraie religion et, à ce que je crois, des rayons de la vraie philosophie.» Il n'a pas dit quelles étaient ces erreurs; il compte, pour en avoir raison, et sur la religion et sur la philosophie, et il n'y a rien de plus innocent que ces remarques, ni de plus orthodoxe.Faites bien attention que l'histoire de tous les peuples, grecs, romains, phéniciens, gaulois, américains et chinois commence par des fables... Voilà qui peut mener loin par voie de conséquences. Attendez! «... excepté le peuple élu, chez qui un soin particulier de la providence a conservé la vérité.» Restriction pieuse et précaution honnête, à laquelle ce n'est pourtant point la faute de l'auteur si l'on trouve un air d'épigramme.Et c'est ainsi, de l'air le plus doux du monde, que Fontenelle nous amène à cette modeste conclusion qui ne vise personne et n'est assurément qu'un conseil de haute prudence: «Tous les hommes se ressemblent si fort qu'il n'y a point de peuple dont les sottises ne nous doivent faire Trembler.»

Fontenelle excelle à ces insinuations qui ont besoin de la complicité du lecteur, qui comptent sur elle et s'en assurent sans l'exciter. Il est l'homme dont parle La Bruyère, qui ne médit point, qui n'articule aucun grief, qui se tait presque avant d'avoir parlé. «Et il a raison: il en a assez dit.»Même art, avec un peu plus d'insistance et une malice un peu plus appuyée dans les Oracles. On saura que ce livre est inspiré par le zèle chrétien le plus pur, et par une horreur pour le paganisme que certains chrétiens ont eu l'imprudence de ne pas pousser aussi loin que Fontenelle. Ils ont cru qu'ils pouvaient tirer avantage de deux choses: de ce que certains oracles païens avaient annoncé l'avènement du christianisme, et de ce que, le Christ venu, les oracles avaient cessé. De ces deux choses la seconde est fausse, les oracles ayant continué de sévir, quoique avec moins de véhémence, pendant quatre cents ans après Jésus; et la première blesse infiniment l'auteur qui n'aime pas que les vérités de la foi aient un appui dans les instruments de l'idolâtrie. Les chrétiens, flattés d'être annoncés par la bouche même de leurs ennemis, ont supposé que les oracles étaient inspirés par les démons, c'est-à-dire par les anges déchus, à qui Dieu a permis de dire quelquefois la vérité. C'est une erreur. Mille exemples prouvent que les oracles n'étaient qu'une jonglerie assez grossière, et Fontenelle énumère religieusement tous ces ridicules artifices, dans le dessein de montrer, non pas tant, soyez-en sûrs, qu'une des preuves au moins dont se soutient le christianisme est ruineuse, et que parmi les prophéties, celles qui sont d'origine païenne sont vaines et ridicules, que de prouver combien le paganisme est abominable. n'y a rien d'édifiant au monde comme ce petit livre.

Ainsi allait, désormais prudent, modéré et délicieusement perfide, l'ancien auteur de l'île de Bornéo, satire par allégorie du catholicisme, dont Bayle avait fait un ornement de son journal15., mais qui avait eu un succès un peu trop bruyant pour les oreilles sensibles de Fontenelle.Aussi bien la science commençait à l'attirer pour elle-même, et sans cesser d'y voir une arme excellente contre le christianisme et l'antiquité, instrument à les détruire et prétexte à les mépriser, il s'y donnait déjà d'une ardeur vraie, certainement sincère et presque désintéressée. Fontenelle a commencé par des opéras comiques et continué par des pamphlets. La Pluralité des Mondes est un ouvrage de savant, où il n'y a plus que des traces de pamphlet et des souvenirs d'opéra comique. On y sent encore une légère démangeaison d'embarrasser les théologiens, et une certaine vanité à se montrer recherché des belles. Il insiste complaisamment sur les «hommes dans la lune», ce dont peuvent s'alarmer les catholiques, et il nous fait de tout son coeur les honneurs de la marquise qui est censée l'écouter. Pour les habitants de la lune, il n'y a rien à dire: il se défend trop bien d'en faire une armée à attaquer la foi. «Il serait embarrassant en théologie qu'il y eût des hommes qui ne descendissent point d'Adam...; mais je ne mets dans la Lune que des habitants qui ne sont point des hommes... Je n'attends donc plus cette objection que des gens qui parleront de ces Entretiens sans les avoir lus. Est-ce un sujet de me rassurer? C'en est un au contraire de craindre que l'objection ne me vienne de bien des endroits16..»Pour sa marquise, il faut confesser qu'elle est bien incommode. Elle a de l'esprit sans doute: «... Vous voyez, Madame, que la Géométrie est fille de l'intérêt, la Poésie de l'amour, et l'Astronomie de l'oisiveté.En ce cas, je vois bien qu'il faut que je m'en tienne à l'astronomie.» Mais le rôle que lui a ménagé Fontenelle est bien désobligeant. Sous prétexte de donner une suite naturelle aux raisonnements, elle ne sert qu'à les interrompre à tout moment, et à les faire languir. Elle comprend ou ne comprend pas, trop visiblement, selon qu'il y a longtemps ou peu de temps qu'elle n'a parlé, et selon que Fontenelle sent ou ne sent point le besoin de nous rappeler sa présence. J'aimerais mieux les naïfs Grec: panu ge ou Grec: pos dhou des interlocuteurs de Socrate, qui au moins ne sont que des signes de ponctuation.Et puis ce procédé du dialogue, quand l'écrivain y est si scrupuleusement fidèle, est impatientant. Je souhaiterais que l'auteur s'adressât enfin à moi-même; je suis fatigué de l'écouter ainsi comme de profil; je me sens en tiers dans une conversation, et je crains d'être gênant. Le plus simple, le plus naturel et le plus poli dans un livre destiné au public, est encore de lui parler.

: (retour) Nouvelles de la République des Lettres.
: (retour) Pluralité, Préface.
Sauf ces réserves, qui sont légères, ce livre est de grand mérite. Pour la première fois Fontenelle y montre un certain sens du grand. Il l'a comme malgré lui, il est vrai; car à chaque moment il fait effort pour abaisser le sujet ou en faire oublier la majesté par les finesses et les petites grâces dont il l'accompagne. Mais le sujet prend sa revanche et quelquefois l'entraîne. La description de la Lune, de Vénus, surtout de Saturne, ne sont pas sans une certaine poésie contenue, et que l'auteur s'obstine à contenir, mais qui éclate. C'est un passage presque éloquent que celui où la rotation de la terre inspire à l'auteur ce tableau mouvant, glissant devant nos yeux, des différents peuples humains. En ce même point de l'espace où Fontenelle cause avec une grande dame, au milieu d'un parc, la Normandie va passer, puis une grande nappe d'eau, puis des Anglais qui causent politique, puis une mer immense, puis des Iroquois, puis la Terre de Jesso; et voilà cent aspects divers: ici ce sont des chapeaux, là des turbans, et puis des têtes chevelues, et puis des têtes rases; et tantôt des villes à clocher, tantôt des villes à longues aiguilles qui ont des croissants, et des villes à tours de porcelaine, et de grands pays qui ne montrent que des cabanes... Elle est charmante cette page. Elle le serait plus encore, si l'on ne sentait que l'auteur se contient, s'observe, se prémunit contre l'éloquence par le soin de badiner. Mon Dieu! qu'il a peur d'être pittoresque! Et il l'a été, malgré lui: c'est sa punition.

Et prenez garde. Elle va très loin, sans affectation, ou avec l'affectation d'un enjouement inoffensif, cette petite leçon de cosmographie. Il est bon apôtre encore avec sa précaution de dire qu'il met dans les mondes qui ne sont pas la terre des habitants qui ne sont pas des hommes. C'est précisément cela qui forme une difficulté nouvelle dont la philosophie libre penseuse va s'emparer. Des habitants dans toutes les planètes? Très probablement.Semblables à nous?Assurément non! qui ont une autre nature, une autre complexion, d'autres sens.Plus que nous?Il est possible.Et alors le monde est pour eux tout différent, et l'âme tout autre?Sans doute.Et notre vérité à nous, vérité philosophique, vérité scientifique, vérité morale, qu'est-elle donc?Une vérité relative, une vérité de ver de terre, qui ne vaut pas qu'on en soit fier...Ni qu'on y tienne?Que voulez-vous?

C'est le «vérité en deçà des Pyrénées» de Montaigne et de Pascal, mais renouvelé et agrandi, plus frappant de cette énorme différence qu'on sent bien qui doit exister entre nous et Saturne; et tout le XVIIIe siècle, et Diderot comme Voltaire, vont agiter avec véhémence cet argument du sixième sens ou du quinzième, que Fontenelle introduit le premier, en jouant, du bout des doigts, comme il fait toujours.

La science l'avait saisi; elle ne le lâcha plus. Il s'y sentait admirablement à l'aise. Il la comprenait très bien; il en était l'interprète clair et élégant auprès des gens du monde: elle lui servait de prétexte perpétuel à faire entendre sans tumulte et sans scandale qu'avant Descartes personne n'avait eu le sens commun; elle donnait à son scepticisme l'apparence, la dignité, et peut-être pour lui-même l'illusion d'une croyance. C'était pour lui une sûreté, un agrément, une arme, et presque une doctrine. Il s'y délassait, s'en amusait et s'en faisait honneur. Il en enveloppait ses épigrammes, et en habillait décemment sa frivolité. Du reste, il en avait le goût; mais il n'en avait pas la vertu. Le savant de coeur et d'âme, selon sa tournure d'esprit, ou se cantonne dans une étroite province de la science et l'agrandit, ou cherche à entendre les rapports qui unissent les différentes sciences de son temps et en tire une doctrine: il fait une découverte bien précise ou un système bien général. Fontenelle lit tout, comprend tout, ne découvre rien, ne généralise rien, et fait des rapports qui sont excellents. Il est le secrétaire général du monde scientifique.Non pas tout-à-fait en dilettante. Il a son but qu'il ne perd pas de vue: persuader au monde par mille exemples que désormais la vérité devra être scientifique, et que la science est la source, désormais trouvée, de toute opinion générale. Le mot lui échappe, qui porte loin. Il appelle la science Philosophie expérimentale.

L'auteur des Éloges est bien le même homme que l'auteur de l''Origine des Fables et des Oracles. Seulement il a trouvé un terrain solide où il établit sa place d'armes, et le tirailleur prudent sent désormais derrière lui un corps de réserve.Il y a infiniment gagné, même au point de vue littéraire. Il a tant été dit que ces Eloges sont des chefs-d'oeuvre, qu'on voudrait qu'ils ne le fussent point tout à fait, pour pouvoir dire quelque chose de nouveau. Il en faut prendre son parti: ce sont des chefs-d'oeuvre. C'est le vrai ton convenable en une académie des sciences, simple, net, tranquille, grave avec une sorte de bonhomie, sans la moindre espèce de recherche soit d'éloquence, soit d'esprit. Pour la première fois de sa vie, Fontenelle est spirituel sans paraître y songer. Le trait, qui est fréquent, est naturel à ce point qu'il n'est pas même dissimulé. Il vient de lui-même et dans la mesure juste, disant précisément ce que l'on croit, après l'avoir entendu, qu'on allait dire. Tout au plus, dans les grands éloges, dans celui d'un Leibniz ou d'un Malebranche, voudrait-on un peu plus de largeur, un ton qui imposât davantage, et une admiration non plus vive, mais, sans être fastueuse, plus déclarée. Mais toutes ces courtes biographies de laborieux chercheurs maintenant inconnus, sont de petites merveilles de vérité, de tact et de goût. Le portrait littéraire n'y est jamais fait, et la figure du personnage y est vivante, individuelle, tracée d'une manière ineffaçable en quelques traits. Ce sont des éloges, et rien n'y est dissimulé. Ces savants sont bien là avec leurs petits défauts caractéristiques, leur simplicité, leur naïveté, parfois leur ignorance des manières et des usages, leurs manies même, et les aliments pesés de celui-ci, et le sommeil réglé au chronomètre de celui-là. Et ces traits ne sont qu'un art de mieux faire revivre les personnages; et ce qui domine, sans étalage du reste, et sans rien surcharger, ce sont bien les vertus charmantes de ces laborieux: leur probité, leur loyauté, leur labeur immense et tranquille, leur modestie, leur piété, leur dévotion même naïve et comme enfantine, et délicieuse en sa bonhomie, comme celle de ce mathématicien17 qui disait «qu'il appartient à la Sorbonne de disputer, au Pape de décider, et au mathématicien d'aller au ciel en ligne perpendiculaire.» Ils sont exquis ces savants de , vivant de leurs leçons de géométrie ou d'une petite pension de grand seigneur, sans éclat, presque sans journaux, inconnus du public, formant en Europe comme une petite république dont les citoyens ne sont connus que les uns des autres, tranquilles et simples d'allures dans leur régularité de quinze heures de labeur par jour, et disant quelquefois du Régent: «Je le connais. J'ai fréquenté dans son laboratoire. Oh! c'est un rude travailleur.» Fontenelle en vient a les aimer, personnellement. C'était la passion dont il était capable. Et quelque chose se communique à lui, à sa manière, à son style, de leur candeur, de leur simplicité, de leur solidité, de leur vérité.

III

Il avait trouvé la place juste qui lui convenait, entre le monde, les lettres et les sciences. Ce génie moyen était bien fait pour une sorte de situation intermédiaire. Elle convenait à ses goûts aussi, à son besoin d'être en vue sans être jamais trop à découvert. Il allait des salons à l'Académie des sciences, comme du Forum aux templa serena, et l'un lui était un divertissement, agréable et nécessaire de l'autre. De cela il se composait un bonheur délicat, élégant et discret, qui était bien celui qu'il avait défini naguère[18], quand il indiquait que le bonheur humain ne pouvait être qu'une absence de peine, faite d'esprit avisé, de froideur de coeur et de mesure dans l'ambition. Il alla longtemps ainsi, comme un homme qui avait assez ménagé sa monture pour la mener loin. Il mourut de la mort qu'il avait souhaitée, c'est-à-dire extrêmement tardive, et comme il l'avait dit, avec complaisance, puisqu'il le répétait[19]: «d'une mort douce et paisible, et par la seule nécessité de mourir.» Il avait fait beaucoup de bruit avec des querelles littéraires qui n'aboutirent à rien, et sans bruit ni éclat, il avait soulevé les plus graves questions que Voltaire et l'Encyclopédie devaient remuer plus tard. Il les avait, surtout, posées, sans paraître y prendre garde, sur le terrain le plus favorable, les présentant comme la Science opposée à la Foi, le Progrès opposé à la Tradition et l'Expérience au Préjugé. C'était le XVIIIe siècle qui devait naître de là. Il en est le père discret et prudent. Ce qui chez lui ne va que de la taquinerie à une demi-conviction, deviendra chez d'autres une doctrine, et chez d'autres un entêtement, et chez d'autres encore une fureur. Il a semé, d'une main nonchalante et d'un geste élégant, les dents du dragon.

LE SAGE

I

TRANSITION ENTRE LE XVIIe SIÈCLE ET LE XVIIIe AU POINT DE VUE PUREMENT LITTÉRAIRE

Il ne faut point se piquer de nouveauté quand on n'a rien trouvé de nouveau. Il a été dit un peu partout que Le Sage est le créateur du roman réaliste en France, et il a été dit, peut-être encore plus, qu'il formait une transition entre le XVIIe siècle et le XVIIIe siècle; et je ne hasarderai dans cet article rien de plus que ces deux banalités, ayant pour raison que je les crois vraies; et pour ce qui est de donner au lecteur de l'inattendu, il faudra que ce soit pour une autre fois.Homme de transition entre les deux siècles, Le Sage l'est excellemment. Tout un côté du XVIIIe siècle, Le Sage l'a ignoré, méconnu, repoussé, tant il appartient à l'autre âge, et tout un côté du XVIIIe siècle Le Sage l'a préparé, amené, pressé d'être, tant il appartient au temps où il écrit. Il ne manque guère d'exprimer son admiration et son culte pour l'âge précédent. Lope de Vega et Calderon, c'est-à-dire Corneille et Racine; car il n'y a pas à s'y tromper, malgré ce que ces pseudonymes peuvent, avoir de surprenant; voilà les dieux qu'il ne cesse d'opposer au héros du jour. Il est «classique» et il est «ancien». Il est pour ceux qui parlaient «comme le commun des hommes», et il approuve Socrate, c'est-à-dire Malherbe, d'avoir dit «que le peuple est un excellent maître de langue». Il y a de son temps cinq ou six «Fabrice» qu'il ne désigne pas autrement, mais où l'on peut reconnaître, sans être très méchant, Lamotte, Fontenelle, un peu Voltaire, et certainement Marivaux, qu'il poursuit de ses épigrammes, dont il trouve insupportables «les expressions trop recherchées», les «phrases entortillées, pour ainsi dire», le langage «mignon» et «précieux», «les attraits plus brillants que solides», les pensées «souvent très obscures», les vers «mal rimés», etc..C'est presque une affectation chez lui que de ne point vouloir être de cette littérature-là, ni, pour ainsi dire, de son temps. Aussi bien les compliments que les épigrammes que reçoit son cher Gil Blas comme écrivain vont à montrer à quel point Gil Blas a un style naturel et simple, peu en usage autour de lui: «Tu n'écris pas seulement avec la netteté et la précision que je désirais, je trouve encore ton style léger et enjoué», lui dit le duc de Lerne. «Ton style est concis et même élégant, lui dit le comte d'Olivarès; mais je le trouve un peu trop naturel...» Sur quoi Gil Blas fait un second mémoire plein d'emphase, qu'Olivarès, homme à la mode, trouve «marqué au bon coin».Evidemment, pour Le Sage la littérature et surtout la langue, au commencement du XVIIIe siècle, sont sur la pente d'une rapide décadence. Il est homme de . Il n'est pas sûr qu'il eût écrit les Précieuses ridicules et les Femmes savantes; mais il les refait, discrètement, à sa manière, à plusieurs reprises. De Fontenelle et de Marivaux le bon lui échappe, et le

mauvais l'exaspère; et de la Henriade, en son Temple de mémoire, malgré l'engouement d'alentour, il se moque cruellement. C'est tout à fait un retardataire.
z que du siècle précédent il en est aussi par la tournure d'esprit, du moins par un certain tour de l'esprit. Il a l'instinct généralisateur. Il n'est point contestable, bien que je ne me lasse point de protester contre l'excès où l'on a poussé cette considération, que les hommes du XVIIe siècle aiment fort les idées générales, les conceptions qui s'étendent loin et embrassent un très grand nombre d'objets. Dieu sait si Le Sage est philosophe; mais, à sa manière, il aime aussi généraliser, et sinon avoir des idées universelles, du moins tracer des tableaux d'ensemble. Ce n'est rien moins que toute la vie humaine qu'il encadre dans chacun de ses romans. C'est tous les toits des maisons d'une ville, et ceux des bourgeois, et ceux des nobles, et ceux des princes, et ceux des prisonniers, et ceux des fous, que soulève le Diable boiteux; c'est toutes les conditions humaines, de dupe, de fripon, d'écolier, de bandit, de valet, de gentilhomme, d'homme de lettres, d'homme d'État, de médecin, d'homme à bonne fortune, de mari tranquille et campagnard, et la pudeur m'avertit d'en passer, que traverse successivement Gil Blas. Le goût du XVIIe siècle est là. Les hommes de ce temps, ou simplement de cet esprit, aiment les grands aspects, les perspectives vastes; il ne leur déplaît pas de faire le tour du monde en un volume; et quand ce n'est pas le monde de la pensée humaine, ou celui de l'histoire, que ce soit celui de la société, avec tous ses vices, tous ses ridicules et tous ses travers.

Et voyez encore de qui Le Sage procède directement, où sont ses origines et comme ses racines littéraires. Il est tout autre que La Bruyère; mais il est né de lui. Avant d'avoir pris possession de sa pleine originalité, il écrit un livre qui est le Chapitre de la Ville arrangé en petit roman fantaisiste. Après l'immense succès des Caractères, cent imitations ou contrefaçons du livre à la mode se succédèrent. La centième, et la meilleure, c'est le Diable boiteux. Autre style, et un cadre, mais même procédé. Quel est celui-ci?... Et celui-là?... C'est un homme qui... et des portraits; et, pour varier, entre les portraits, des anecdotes, des actualités, des nouvelles à la main. Comparez aux Lettres Persanes. Dans celles-ci, des portraits encore, sans doute, mais, plus souvent, des idées, des discussions, des vues, des paradoxes, des espiègleries, et, tout compte fait, plus de pamphlet que de tableau de moeurs; et dans Duclos il en sera de même, et aussi dans les romans de Voltaire, et c'est bien là qu'est la différence entre les deux siècles, celui des moralistes et celui des «penseurs». Très naturellement, quand on lit Le Sage, c'est plutôt à ce qui précède qu'on songe, qu'à ce qui suit.

Et s'il n'en était que cela, Le Sage ne serait pas une transition entre les deux âges, mais appartiendrait tout simplement au précédent. Il est vrai; mais à côté de ces inclinations d'esprit qui en font un contemporain de La Bruyère, et comme derrière elles et plus au fond, Le Sage en a d'autres, par où il tend vers une toute autre date, un peu trop même peut-être, et c'est ce qu'on verra par la suite.

II

LE «RÉALISME DANS» LE SAGE

Ce n'est pas encore indiquer par où Le Sage est de son temps que le considérer comme réaliste. Presque au contraire. Le réalisme en effet a son germe dans l'Ecole de , en ce que cette école a été un retour au naturel, à l'observation exacte, au goût du réel, et une réaction très violente contre le genre romanesque. Le réalisme remplit les satires de Boileau, les comédies de Molière, le Roman bourgeois de Furetière, aimé de Boileau, et les Caractères de La Bruyère. En , le réalisme n'est point une nouveauté, c'est une tradition, et bien plus novateurs seront ceux qui de la sphère des faits se jetteront dans celles des idées et des systèmes, ce qui souvent sera encore un retour au romanesque par une autre voie.Le Sage, homme très peu prétentieux du reste, et modeste dans ses ambitions littéraires, ne fait donc, ou ne croit faire, que ce qu'on faisait avant lui. Il regarde, il observe, il collectionne, et il écrit des «caractères» avec l'assaisonnement d'un «roman comique». Seulement, si, à proprement parler, il n'invente rien, il apporte dans l'art réaliste sa nature propre, et il se trouve que cette nature est comme merveilleusement appropriée à cet art, ne le dépasse pas, ne reste point en deçà, s'y accommode et le remplit exactement. Le Sage est né réaliste par goût de l'être, par capacité de le devenir, et par impuissance d'être autre chose. Il l'est plus qu'éminemment; il l'est exclusivement.

Le réalisme est d'abord curiosité et bonne vue. Personne n'a été plus curieux que Le Sage, et n'a vu plus juste dans le monde où il lui était permis de regarder. Mais ce monde n'était pas le très grand monde, et ce n'était pas un gentilhomme de lettres que Le Sage. Très honnête homme, et même presque héroïque dans sa probité, encore est-il qu'il n'a guère fréquenté que dans les théâtres, dans les cafés et chez les petits bourgeois.Précisément! Je ne dirai pas tout à fait: «C'est ce qu'il faut,» mais je dirai, presque: ce n'est pas une mauvaise condition ni un mauvais point de vue pour le réaliste. Le plus haut monde et le plus bas sont tout aussi réels que le moyen; je le sais sans doute, et il n'est pas mauvais de le répéter; et, pourtant l'art réaliste a deux écueils dont le premier est de trop s'enfoncer dans la sentine humaine, et l'autre de vouloir peindre les sommets brillants. Tel grand réaliste moderne, Balzac, a échoué piteusement à vouloir faire des portraits de duchesses, et tel autre moins grand, très bien doué encore, Zola, a dénaturé le réalisme à s'obstiner dans la peinture cruelle de tous les bas-fonds. C'est que l'art est toujours un choix, et par conséquent une exclusion. C'est sa raison d'être. S'il était la reproduction exacte de la nature tout entière, il ne s'en distinguerait pas. Il s'en distingue, avant tout, en ce qu'il est moins complet qu'elle. Il consiste, avant tout, à la voir d'un certain point de vue, bien choisi, ce qui est n'en voir qu'une portion. Or l'art réaliste, comme tout autre, est un point de vue, et comme tout autre, découpe dans l'ensemble des choses la circonscription qui lui est propre. Mais laquelle, puisque ce dont il se pique, de par son nom même, est de nous donner la vérité même des moeurs humaines?

La vérité des moeurs humaines, pour l'art réaliste, ne pourra être que la moyenne des moeurs humaines, et son point de vue devra être pris à mi-côte. Pour le sens commun, qui se marque à l'usage courant de la langue, la réalité c'est ce qui frappe le plus souvent et comme assidûment nos regards. Un grand homme, comme Napoléon, est parfaitement réel; seulement il ne semble pas l'être. Du seul fait de sa grandeur il est légendaire, relégué, même en un entretien populaire, dans le domaine du poème épique.Et il en est tout de même d'un scélérat hors de la commune mesure: il est vrai, et paraît être imaginaire. Remarquez que vous l'appelez un monstre: vous le mettez, quoiqu'il en soit aussi bien qu'un autre, en dehors de la nature. Par une sorte de nécessité rationnelle, qui pour l'artiste devient une loi de son art, qui dit réalitéchose singulière mais incontestablene dit donc pas toute la réalité, mais ce qui, dans le réel, paraît plus réel, parce qu'il est plus ordinaire. L'art réaliste, comme un autre art, et précisément parce qu'il est un art, aura donc ses limites, en haut et en bas, et devra s'interdire la peinture des caractères trop particuliers soit par leur élévation, soit par leur bassesse, soit, simplement, par leur singularité. Or Le Sage était, par sa situation dans la vie, admirablement placé pour observer, sans effort et naturellement, les limites de cet art. Il ne le créait point; et souvent il en semble le créateur; moins parce qu'il l'inventait, que parce que cet art semblait inventé pour lui. Il ne devait guère songer à peindre les créatures d'exception, ou seulement les hommes d'un monde élevé et raffiné; car, petit bourgeois modeste, timide même, à ce qu'il me semble, et un peu farouche, il ne faisait guère que passer dans les salons, parfois même un peu plus vite qu'on n'eût désiré. Il ne devait pas se plaire dans la peinture des trop vils coquins; car il était très honnête homme, et, z ce point, très rassis d'imagination et très simple d'attitudes, n'ayant point, par conséquent, ou ce goût du vice qui est un travers de fantaisie dépravée chez certains artistes d'ailleurs bonnes gens, ou cette affectation de tenir les scélérats pour personnages poétiques, qui est démangeaison puérile de scandaliser le lecteur naïf chez certains artistes d'ailleurs très réguliers et très bourgeois.Restait qu'il fût un bon réaliste en toute sincérité et franchise, sans écart ni invasion d'un autre domaine, et bien chez lui dans celui-là.

Voilà pourquoi il semble avoir inventé le genre. Ses prédécesseurs, en effet, ne le sont pas si purement. D'abord ils le sont moins essentiellement qu'ils ne le sont par réaction contre les romanesques qui les précédaient eux-mêmes. Et puis ils le sont avec quelque mélange. Les uns, comme Boileau, le sont avec une intention satirique, et c'est cela, sans doute, mais ce n'est pas tout à fait cela. Le réalisme est une peinture dont le lecteur peut tirer une satire, mais dont il ne faut pas trop que l'auteur fasse une satire lui-même, auquel cas nous serions déjà dans un autre genre, tenant un peu du genre oratoire, lequel est précisément un des contraires du réalisme. L'intention satirique n'est pas moins marquée dans La Bruyère, dans Furetière. Ai-je besoin de dire que quand nous donnons Racine pour un réaliste, nous ne cédons point à un goût de paradoxe ou de taquinerie, et croyons avoir raison; mais qu'encore ce n'est qu'en son fond que Racine est réaliste, par son goût du vrai, du précis, et du naturel, et de la nature; et que sur ce fond, qui du reste est un de ses mérites, il a mis et sa poésie, qui est d'une espèce si délicate et précieuse, et son goût d'une certaine noblesse de sentiments, de moeurs et de langage, une sorte d'air aristocratique qui se répand sur son oeuvre entière. Racine est un réaliste qui est poète et qui est homme de cour.Le Sage est réaliste sans aucun de ces mélanges. Il l'est comme un homme qui non seulement a le goût de la réalité, mais l'habitude de ces moeurs, moyennes qui sont la matière même du réalisme.

Pour être un bon réaliste, il ne faut pas seulement l'habitude et le goût des moeurs moyennes, il faut presque une moralité moyenne aussi, dans le sens exact de ce mot, et sans qu'on entende par là un commencement d'immoralité. Il faut n'avoir ni ce léger goût du vice, vrai ou affecté, dont nous avions l'occasion de parler plus haut, ni un trop grand mépris, ou du moins trop ardent, des bassesses et des vulgarités humaines. Philinte eût été bon réaliste, lui qui voit ces défauts, dont d'autres murmurent, comme vices unis à l'humaine nature, et qui estime les honnêtes gens sans surprise, et désapprouve les autres sans étonnement.Il faut remarquer qu'une certaine élévation morale donne de l'imagination, étant probablement elle-même une forme de l'imagination. Un Alceste qui écrit fait les hommes plus mauvais qu'ils ne sont, par horreur de les voir mauvais. Tels La Rochefoucauld, ou même La Bruyère, et encore Honoré de Balzac. Ils prennent un plaisir amer à montrer les scélératesses des hommes pour se prouver à eux-mêmes, avec insistance et obstination chagrine, à quel point ils ont raison de les mépriser. Et nous voilà dans un genre d'ouvrage qui s'éloigne de la réalité, qui donne dans les conceptions imaginaires. L'inverse peut se produire, et tel esprit délicat, par goût d'élévation morale, fermera les yeux aux petitesses humaines, s'habituera à ne les point voir, et peindra les hommes plus beaux qu'ils ne sont. Une partie de l'imagination de Corneille est dans sa haute moralité, ou sa moralité tient à son tour d'imagination; car que la morale rentre dans l'esthétique ou que l'esthétique tienne à la morale, je ne sais, et ici il n'importe.

Eh bien, le bon Le Sage n'est ni un Corneille ni un La Rochefoucauld. Il est tranquille dans une conception de la nature humaine où il entre du bien et du mal, qui, certes, se distinguent l'un de l'autre, mais ne s'opposent point l'un à l'autre violemment, et n'ont point entre eux un abîme. Vous le voyez très bien écrivant une bonne partie des Caractères, avec moins de finesse et de force; mais vous ne le voyez point du tout y ajoutant le chapitre des Esprits forts, essayant de se faire une philosophie, d'affermir en lui une croyance religieuse, mettant très haut et prenant très sérieusement sa fonction et sa mission de moraliste. Non, sans être un simple baladin, comme Scarron, il n'a pas une vive préoccupation morale qui circule au travers de ses imaginations et qui les dirige, comme La Bruyère ou comme Rabelais. C'est pour cela qu'il est si vrai. Point de cette amertume qui force le trait et noircit les peintures. Il n'en a guère que contre certaines classes de gens qui apparemment l'ont maltraité, les financiers, les comédiens et comédiennes. Ailleurs il est tranquille. Il peint les coquins sans complicité, certes, mais sans horreur, et, pour cela, les peint très juste. Il ne se refuse point du tout à voir des honnêtes gens dans le monde, des hommes bons et charitables, même de bonnes femmes, dévouées et simples, et il les peint sans plus de complaisance, ni d'ardeur, ni d'étonnement, très juste ici encore, et du même ton placide. Mais où il excelle, c'est à voir et à bien montrer des hommes qui sont du bon et du mauvais en un constant mélange, et qu'il ne faudrait que très peu de chose pour jeter sans retour dans le mal, ou sans défaillance prévue, dans le bien. C'est en cela qu'il est plus capable de vérité que personne. La réalité ne se déforme point en passant à travers sa conception générale de la vie; parce que de conception générale de la vie, je crois fort qu'il n'en a cure. Est-il pessimiste ou optimiste? Soyez sûr que je n'en sais rien, ni lui non plus. Croit-il l'homme né bon, ou né mauvais? Il n'en sait rien, et comme, au point de vue de son art, il a raison de n'en rien savoir! Il voit passer l'homme, et il a l'oeil bon, et cela lui suffit très bien. Il nous le renvoie, comme ferait un miroir qui, seulement, saurait concentrer les images, aviver les contours, et rafraîchir les couleurs. Mais cela revient presque à dire, ou mène à croire que le «bon réaliste» ne doit pas avoir de personnalité. Ce ne serait point une idée si fausse. L'art réaliste est la forme la plus impersonnelle de l'art, celle où l'artiste met le moins de lui-même, et se soumet le plus à l'objet. On est toujours quelqu'un, sans doute; mais la personnalité de l'un peut être dans ses passions, et alors, comme artiste, il sera lyrique, ou élégiaque, ou orateur; et la personnalité de l'autre peut être dans ses appétits, et alors il ne sera pas artiste du tout; c'est le cas du plus grand nombre;et la personnalité de celui-ci peut être dans sa curiosité, dans son intelligence, et dans son goût de voir juste, et alors, comme artiste, il sera réaliste. Et c'est le cas de Le Sage, qui n'a pas une personnalité très marquée, qui semble n'avoir eu ni passion forte, ni goût décidé, ni système, ni idée fixe, ni manie, ni vif amour-propre, ni grande vanité, et qui pour toutes ces raisons «n'était quelqu'un» que par les yeux, que par l'habitude d'observer et par le goût (aidé du besoin de vivre) de consigner ses observations.

III

L'ART LITTÉRAIRE DE LE SAGE

Tout cela est tout négatif. C'est de quoi éviter les écueils de l'art réaliste: ce n'est pas de quoi y bien faire. Le Sage avait mieux pour lui qu'une absence de défauts. Il avait d'abord, ce qui me paraît le mérite fondamental en ce genre d'ouvrages, un très grand bon sens.

Quand les hommescar dès qu'il s'agit d'art réaliste il ne faut guère songer à avoir des lectrices quand les hommes s'éprennent d'art réaliste, c'est par un désir assez rare, mais qui leur vient quelquefois, par réaction, dégoût d'autre chose, ou seulement caprice, de trouver le vrai dans un ouvrage d'imagination. Le cas se présente. Nous aimons successivement toutes choses, en art, et même la vérité. Mais voyez comme pour l'auteur il est malaisé de contenter ce goût particulier. Les termes de son programme sont apparemment, et même plus qu'en apparence, contradictoires. Il doit imaginer des choses réelles. Et ceci n'est pas jeu d'antithèse de ma part. Il est bien exact que nous demandons au romancier réaliste des inventions et non absolument des choses vues, des créations de son esprit, et non des faits divers; mais inventions et créations qui donnent, plus que choses vues et faits divers, la sensation du réel. Et je crois que pour aboutir, ce qu'il faut à notre artiste, c'est un peu d'imagination dans beaucoup de bon sens; un peu d'imagination, une sorte d'imagination légère et facile, qui est surtout une faculté d'arrangement,et beaucoup de bon sens, c'est-à-dire de cette faculté qui voit comme instinctivement les limites du possible, du vraisemblable, et celles de l'extraordinaire et du chimérique,

Nous appelons homme de bon sens dans la vie celui qui sait prévoir et qui se trompe rarement dans ses prévisions, et nous disons que cet homme a «le sens du réel». Qu'est-ce à dire sinon qu'il a une idée nette de la moyenne des choses? Car l'inattendu et l'extraordinaire aussi sont réels, et le trompent quand ils surviennent; seulement il nous semble qu'ils ont tort contre lui, parce qu'ils sont en dehors des coups habituels, et qu'on aurait tort de parier pour eux. L'homme de bon sens est celui qui ne met pas à la loterie. De même en art l'homme de bon sens est celui qui aura le sens du réel, c'est-à-dire de cette moyenne des moeurs humaines que nous avons vu qui est la matière du réalisme. Ce bon sens en art est fait de tranquillité d'âme, d'absence de parti pris, de modération, d'une sorte d'esprit de justice aussi, a ce qu'il me semble, et d'une certaine répugnance à trancher net, à déclarer un homme tout coquin, ce qui est toujours lui faire tort, ou impeccable, ce qui est toujours exagérer. Cet art n'est point fait d'observations et d'enquête; ne nous y trompons pas. Il s'en aide, mais il n'en dépend point. Car on peut être observateur très injuste, et voir avec iniquité. Personne n'a plus observé que notre Balzac, et ses observations étaient soumises à une imagination, et à une passion qui les déformaient à mesure qu'il les faisait. C'est ce qui me fait dire que le bon sens est le fond même du vrai réaliste.

Le Sage avait cette qualité pleinement. Balzac est comme effrayé devant ses personnages; «Le Sage est familier avec les siens. Il semble leur dire: «Je vous connais très bien; car je sais la vie. Vous ne dépasserez guère telle et telle limite; car vous êtes des hommes, et les hommes ne vont pas bien loin dans aucun excès. Vous serez des friponneaux; car il n'y a guère de bandits; et vertueux avec sobriété; car il n'y a guère de saints dans le monde. Et vous ne serez pas très bêtes; car la bêtise absolue n'est point si commune; et vous n'aurez pas de génie; car il est très rare. Et vous ne serez point maniaques; car c'est encore là une exception, et les êtres exceptionnels ne me semblent pas vrais. Si vous le deveniez, je serais très étonné, et je ne m'occuperais plus de vous.»

Et c'est ainsi qu'il procède, dès le principe. Son Turcaret est bien remarquable à cet égard. Le sujet est d'une audace inouïe pour le temps, et la modération est extrême dans la manière dont il est traité. Pour la première fois dans une grande comédie, le public verra en scène un gros financier voleur, et pour la première fois une fille entretenue, et pour la première fois un favori de fille. Les trois témérités de notre théâtre contemporain sont hasardées, toutes trois ensemble, du premier coup, en , tant il est vrai que c'est bien de Le Sage (en y ajoutant, si l'on veut, Dancourt) que date la littérature réaliste et «moderne».Mais ces trois témérités, il n'y avait guère que Le Sage qui les pût faire passer. Ce n'est point qu'il atténue, qu'il tourne les difficultés; non, mais il les sauve à force de naturel, à force de n'en être ni effrayé lui-même, ni échauffé. On ne s'aperçoit pas qu'il est hardi, parce qu'il est hardi sans déclamation. Tout y est bien qui doit y être, dans ce drame: braves gens ruinés par le financier, financier «pillé» par une «coquette», coquette «plumée» par qui de droit; c'est un monde abominable. Voyez-vous l'auteur du XIXe siècle, qui, cent cinquante ans après Le Sage du reste, découvre ce monde-là, et ose l'exposer au jour. Il sera comme étourdi de son audace et, dans son émotion, il la forcera; chaque trait sera d'une amertume atroce; l'oeuvre sera d'un bout à l'autre «brutale» et «cruelle» et «navrante»; il n'y aura pas une ligne qui ne nous crie: «quels êtres puissamment abjects, et quelle puissante audace il y a à les peindre!»et de tout cela il résultera une grande fatigue pour nous, comme de tout ce qui est guindé et tendu.Tout naturellement, et non point par timidité, car s'il eût été timide, c'est devant le sujet qu'il eût reculé, Le Sage borne sa peinture à la réalité, à l'aspect ordinaire des choses. Ces monstres sont des monstres très bourgeois, parce que c'est bien ainsi qu'ils sont dans la vie réelle.Cette «coquette» est d'une inconscience naïve qui n'a rien de noir, rien surtout de calculé pour l'effet et pour le «frisson»; elle est abjecte et bonne femme; elle a perdu tout scrupule et n'a point perdu toute honnêteté; car, z ce point, elle est capable encore d'être blessée de la perversité des autres: «Ah! chevalier, je ne vous aurais pas cru capable d'un tel procédé.» C'est la vérité même.Et ce Turcaret! Comme cela est de bon sens de n'avoir pas dissimulé sa scélératesse, de l'avoir montré voleur et cruel, mais de n'avoir pas insisté sur ce point, et de l'avoir montré beaucoup plus ridicule que méprisable. C'est connaître les limites de la comédie, dit-on. Oui, et c'est surtout connaître le train du monde. Scélérat, un tel homme l'est de temps on temps, quand l'occasion s'en présente; burlesque, il l'est sans cesse, dans toute parole et dans tout geste, et de toute sa personne et de toute la suite naturelle de sa vie. C'est ce que nous voyons de lui à tout moment; c'est en quoi il est «réel», c'est-à-dire dans le continuel développement et non dans l'accident de non être.Tous ces personnages ont comme une vie facile et simple. Ils n'ont pas une vie «intense», ce qui, je crois, est chose assez rare. Ils vivent comme vous et moi. Ils posent aussi peu que possible; ils n'ont pas d'attitudes. C'est au point que Turcaret est comme un drame qui n'est point théâtral. S'il plaît mieux (de nos jours surtout) à la lecture qu'aux chandelles, c'est probablement pour cela.

Gil Blas est tout de même. C'est le chef-d'oeuvre du roman réaliste, parce que c'est l'oeuvre du bon sens, du sens juste et naïf des choses comme elles sont. Petits filous, petits débauchés, petites coquines, petits hommes d'Etat, petits grands hommes, petits hommes de bien aussi, et capables de petites bonnes actions, il n'y a pas un genre de médiocrité dans un sens ou dans un autre, qui ne soit vivement marqué ici, et pas un genre de grandeur qui n'en soit absent. L'impression est celle d'un tour que l'on fait dans la rue.

Et par conséquent cela ne vaut guère la peine d'être rapporté.Pardon, mais fermez les yeux, et, un instant, regardant dans le passé, retracez-vous à vous-même votre propre vie. C'est précisément cette impression de médiocrité très variée que vous allez avoir. Cent personnages très ordinaires, dont aucun n'est un héros, ni aucun un gredin, tous avec de petits vices, de petites qualités et beaucoup de ridicules; cent aventures peu extraordinaires où vous avez été un peu trompé, un peu froissé, un peu ennuyé, où parfois vous avez fait assez bonne figure, dont quelques-unes ne sont pas tout à fait à votre honneur, et sans la bourreler, inquiètent un peu votre conscience: voilà ce que vous apercevez.Rendre cela, en tout naturel, sans rien forcer, vous donner dans un livre cette même sensation, avec le plaisir de la trouver dans un livre et non dans vos souvenirs personnels, que vous aimez assez à laisser tranquilles, voilà le talent de Le Sage. Son héros c'est vous-même; mettons que c'est moi, pour ne blesser personne, ou plutôt pour ne pas me désobliger moi non plus, c'est tout ce que je sens bien que j'aurais pu devenir, lancé à dix-sept ans à travers le monde, sur la mule de mon oncle.

Gil Blas a un bon fond; il est confiant et obligeant. Il s'aime fort et il aime les hommes. Il compte faire son chemin par ses talents, sans léser personne. Nous avons tous passé par là. Et le monde qu'il traverse se charge de son éducation pratique, très négligée. C'est l'éducation d'un coquin qui commence. On va lui apprendre à se délier, et à se battre, par la force s'il peut, par la ruse plutôt. Une dizaine de mésaventures l'avertiront suffisamment de ces nécessités sociales. Mais remarquez que ces leçons, Le Sage ne leur donne nullement un caractère amer et désolant. Le pessimisme, la misanthropie, ou simplement l'humeur chagrine consisteraient à montrer Gil Blas tombant dans le malheur du fait de ses bonnes qualités Il y tombe du fait de ses petits défauts. Il est volé, dupé et mystifié parce qu'il est vaniteux, imprudent, étourdi; parce qu'il parle trop, ce qui est étourderie et vanité encore; et ainsi de suite, jusqu'au jour où il est guéri de ces sottises, et un peu trop guéri, je le sais bien, mais non pas jusqu'à être jamais profondément dépravé.Car ici encore la mesure que le bon sens impose serait dépassée. Il faut que l'éducation du coquin soit complète, mais ne donne pas tous ses fruits, parce que c'est ainsi que vont les choses à l'ordinaire. Ce serait ou déclamation ou conception lugubre de la vie que de faire commettre à Gil Blas, désormais instruit, de véritables forfaits. Ce serait dire d'un air tragique: «Voilà l'homme tel que la vie et la société le font.» Eh! non! sur un caractère de moyen ordre elles ne produisent pas de si grands effets, nous le savons bien. Elles peuvent pervertir, elles ne dépravent point. C'est merveille de vérité que d'avoir laissé à Gil Blas, une fois passé du côté des loups, un reste de naïveté et de candeur. Disgracié, mais sa disgrâce ignorée encore, il rencontre une de ses créatures, qui se répand en actions de grâces et en protestations de dévouement. Et le bon Gil Blas confie son chagrin à cet ami si cher, lequel aussitôt prend un air «froid et rêveur» et le quitte brusquement. Et Gil Blas a un moment de surprise, comme s'il ne connaissait point encore les choses. Toujours le mot de la Comtesse: «Ah! chevalier, je ne vous aurais pas cru capable d'un tel procédé.» Il reçoit encore des leçons d'immoralité; il peut en recevoir encore. Les plus mauvais d'entre nous en recevront jusqu'au dernier jour, et Dieu merci!

Et si l'expérience durcit peu à peu son coeur et détruit ses scrupules, elle affine son intelligence, et par là, tout compte fait, le ramène aux voies de la raison. Tant d'aventures lui font désirer le repos, et tant de batailles et de ruses, une vie simple et calme. Mais voyez encore ce dernier trait. N'est-ce point une idée très heureuse que d'avoir ramené Gil Blas de sa retraite sur le théâtre des affaires? Il est tranquille, il a vu le fond des choses; et il s'est dit: «cultivons notre jardin»; et il le cultive. Il se croit sage; mais dans cette sagesse la nécessité entrait pour beaucoup, sans qu'il s'en doutât. Le prince qu'il a servi monte sur le trône. Notre homme revient à Madrid, sans précipitation à la vérité, sans ardeur, et comme retenu par ce qu'il quitte. Mais une fois à la cour, une fois posté sur le passage du Roi dont il attend un regard, il confesse honteusement qu'il ne peut repartir: «Afin que Scipion n'eût rien à me reprocher, j'eus la complaisance de continuer le même manège pendant trois semaines.» On sent ce que c'est que cette complaisance. Il reviendra plus tard à son jardin, sans doute; mais il était naturel qu'il eût au moins une rechute. La conversion d'un ambitieux est-elle vraisemblable, qu'il n'ait été relaps au moins une fois?

Tout cela est bien juste et bien pénétrant, sans la moindre affectation de profondeur. Il y a, je l'ai dit, une certaine imagination qui se mêle à ce bon sens, à cette vue juste de la condition humaine. C'est l'imagination du poète comique. Elle est très difficile à définir, n'étant, pour ainsi dire, qu'une demi-faculté d'invention. Elle consiste, ce me semble, à vivifier l'observationet à lier entre elles les observations, ce qui n'est encore rien dire, mais nous met sur la voie. Le poète comique observe les hommes, qui se présentent toujours à nous en leur complexité, c'est-à-dire dans une certaine confusion. Pour les mieux voir, il débrouille, il distingue, il analyse; il essaye de saisir la qualité ou le défaut principal de chacun d'eux, de l'isoler de tout le reste, et de le considérer à part. Cela fait, s'il a de bons yeux, il peut tracer le portrait d'une faculté abstraite, de l'avarice, de l'ambition, de la jalousie, ou de «l'avare», de «l'ambitieux », du «jaloux», ce qui est absolument la même chose.S'il s'arrête là, il n'est qu'un moraliste, une manière de critique des caractères, nullement un artiste. S'il va plus loin, si ce produit de son analyse, sec et décharné, s'entoure comme de lui-même, en son esprit, d'une foule de particularités, de détails, qui s'y accommodent, le complètent, l'élargissent, qu'est-il arrivé? C'est que l'imagination est intervenue; c'est que cette complexité de l'être humain, notre poète, après l'avoir détruite par l'analyse, l'a rétablie par une sorte de faculté créatrice qui est le don de la vie; l'a rétablie moins riche à coup sûr qu'elle n'est dans la réalité; l'a rétablie dans les limites de l'art, qui étant toujours choix est toujours exclusion; l'a rétablie juste assez incomplète encore pour qu'elle soit claire; mais enfin l'a reconstituée.C'est ce que j'appelle vivifier l'observation.C'est ce que le poète comique doit savoir faire. C'est ce que Le Sage fait excellemment.

Ses personnages vivent. Ils se meuvent devant ses yeux; il les voit circuler et se promener par le monde. Voit-il bien le fond de leur âme? Il faut reconnaître, et on l'a dit avec raison, que sa psychologie n'est point bien profonde. Mais, sans vouloir prétendre que c'est un mérite, je crois pouvoir dire que dans le genre qu'il a adopté c'est un air de vérité de plus. Il ne voit pas le fond de ces âmes, parce que les âmes de ces héros n'ont aucune profondeur. Il n'y a pas à «faire la psychologie» d'un intrigant, d'une rouée et de son associé, d'un garçon de lettres moitié valet, moitié truand, d'un archevêque beau diseur, d'un ministre qui n'est qu'un «politicien» et un faiseur d'affaires. Les âmes moyennes, voilà, encore un coup, ce qu'étudie Le Sage; et les âmes moyennes sont, de toutes les âmes, celles qui sont le moins des âmes. Celles des grands passionnés, celles des hommes supérieurs, celles des solitaires, qui au moins sont originales, celles des hommes du bas peuple, où l'on peut étudier les profondeurs secrètes, et les singuliers aspects et les forces inattendues de l'instinct, demandent un art psychologique bien plus pénétrant.

Autant dire que l'art qui veut donner la sensation du réel ne donne que la sensation de la médiocrité. Sans aucun doute; seulement la médiocrité vraie, bien vivante, parlante, et où chacun de nous reconnaît son voisin est infiniment difficile à attraper, et Le Sage, autant, si l'on veut, par ce qui lui manquait, que par ses qualités, était merveilleusement habile à la saisir: et je ne dis pas qu'il n'y ait un art supérieur au sien, je dis seulement que ce qu'il a entrepris de faire, il l'a fait à merveille. En quelque affaire que ce soit, ce n'est pas peu.

Je dis encore qu'il avait l'art, non seulement de vivifier les observations, mais de lier entre elles les observations. C'est d'abord la même chose, et ensuite quelque chose de plus. C'est d'abord avoir ce don de la vie qui, de mille observations de détail, crée un personnage vivant, c'est ensuite inventer des circonstances, des incidents, vrais eux-mêmes, et qui, de plus, servent à montrer le personnage dans la suite et la succession des différents aspects de sa nature vraie. On peut dire que c'est ici que Le Sage est inimitable. Les aventures de Gil Blas sont innombrables; toutes nous le montrent, et semblable à lui-même, et sous un aspect nouveau. Il y a là et un don de renouvellement et une sûreté dans l'art de maintenir l'unité du type qui sont merveilleux. De ces histoires si nombreuses, si diverses, aucune ne dépasse le personnage, ne l'absorbe, ne le noie dans son ombre. Il en est le lien naturel, et aussi il est comme porté par elles, comme présenté par elles à nos yeux tantôt dans une attitude, tantôt dans une autre; elles le font comme tourner sous nos regards, sans que jamais l'attention se détache de lui, et de telle sorte, au contraire, qu'elle y soit sans cesse ramenée d'un intérêt nouveau.Et avec quel sentiment juste de la réalité, encore, pour ce qui est du train naturel des choses! Elles ne se succèdent, ces aventures, ni trop lentement, ni trop vite. Par un art qui tient à l'arrangement du détail et qui est répandu partout sans être particulièrement saisissable nulle part, elles semblent aller du mouvement dont va le monde lui-même. On ne trouve là ni la précipitation amusante, mais comme essoufflée, et qu'on sent factice, du roman de Pétrone, ni cette lenteur, amusante aussi, et ce divertissement perpétuel des digressions, qui est un charme dans Sterne, mais qui nous fait perdre pied, pour ainsi dire, nous éloigne décidément du réel, et nous donne bien un peu cette idée, qui ne va pas sans inquiétude, que l'auteur se moque de nous. Le Sage a tellement le sens du réel que jusqu'à la succession des faits et le mouvement dont ils vont a l'air, chez lui, de la démarche même de la vie.

Les épisodes même, les aventures intercalées, qui sont une mode du temps dont il n'est aucun roman de cette époque qui ne témoigne, ont un air de vérité dans le Gil Blas. Ils suspendent l'action et la reposent, juste au moment où il est utile. Au milieu de toutes ses tribulations, le héros picaresque s'arrête un instant, avec complaisance, à écouter un roman d'amour et d'estocades, et s'y délasse un peu. On sent qu'il en avait besoin. On sent que ce sont là comme les rêves de Gil Blas entre deux affaires ou deux mésaventures. Il a pris plaisir à se raconter à lui-même une histoire fantastique et consolante de beaux cavaliers et de belles dames, au bord du chemin, en trempant des croûtes dans une fontaine, pour ne pas manger son pain sec. Il a fait trêve ainsi au réel. Nous lui en savons gré.

Et z que Le Sage, avec un goût très sûr, et pour bien marquer l'intention, ne met ces histoires-là que dans les épisodes. Ce sont choses qui se disent dans les conversations, que ses personnages se racontent pour s'émerveiller et se détendre. L'auteur n'en est pas responsable. Lui se réserve la réalité. z encore qu'à mesure que le roman avance, ces épisodes sont moins nombreux. L'action, sans se précipiter, domine, prend le roman tout entier. Cela veut dire qu'à mesure qu'il arrive aux grandes affaires, et aussi à la maturité, Gil Blas rêve moins, ou rencontre moins de rêveurs sur sa route; et c'est la même chose; et sa pensée est moins souvent traversée de Dons Alphonse et d'Isabelle. Adieu les belles équipées d'amour, même en conversation ou en songes; et c'est encore le train véritable de la vie: car il faut toujours en revenir à cette remarque; et le roman se termine par la plus bourgeoise et la plus tranquille des conclusions.

C'est en quoi il est bien composé, à tout prendre, ce roman, quoi qu'on en ait pu dire. Qu'on observe qu'il semble quelquefois recommencer (comme la vie aussi a des retours), qu'il n'y a pas de raison nécessaire pour qu'il ne soit pas plus court ou plus long d'une partie, je le veux bien; mais il est bien lié, et il est en progression, et il s'arrête sur un dénouement naturel, logique, et qui satisfait l'esprit. Il est d'une ordonnance non rigoureuse, mais sûre, facile et où l'on se retrouve aisément. Dans quelle partie du livre se trouve telle scène caractéristique? D'après l'âge de Gil Blas, et la tournure d'esprit particulière chez lui qu'elle suppose, vous le savez, sans rouvrir le livre. Voilà la marque.Et surtout, ce qui est art de composition supérieure encore, l'impression générale est d'une grande unité. Ignorez-vous que les Pensées de Pascal et les Maximes de La Rochefoucauld sont livres mieux composés, tels qu'ils sont par la volonté ou contrairement au dessein de leurs auteurs, que tel livre bien disposé, bien arrangé, bien symétrique et où l'unité et la concentration de pensée font défaut; parce que toutes les idées des Maximes et des Pensées se rapportent et se ramènent à une grande pensée centrale, gravitent autour d'elle, et parce qu'elles y tendent, la montrant toujours?À un degré inférieur il en est de même de Gil Blas. Il y a dans ce livre une conception de la vie, que chaque page suggère, rappelle, dessine de plus en plus vivement en notre esprit, et que la dernière complète. Cette conception n'est point sublime; elle consiste à penser que l'homme est moyen et que la vie est médiocre, et qu'il faut peindre l'un et raconter l'autre avec une grande tranquillité de ton et d'un style très naturel et très uni, ce qui revient à dire que dans la pratique il faut prendre l'un et l'autre avec une grande égalité d'humeur et une grande simplicité d'attitude. La vie (c'est Le Sage qui me semble parler ainsi) est une plaisanterie médiocre, et, aux plaisanteries de ce genre, il y a ridicule à le prendre trop bien ou trop mal; il ne faut être ni assez sot pour en trop rire, ni assez sot pour s'en fâcher.Voilà une belle philosophie! Je n'ai pas dit qu'elle fût belle, je dis que c'en est une, et que ce livre l'exprime fort bien, d'où je conclus qu'il est bien fait.

IV

LE SAGE PLUS VULGAIRE

Et, à y regarder de très près, Le Sage a-t-il bien songé à tout cela, et est-il bien le philosophe même de moyen ordre que nous disons? Il l'est dans Gil Blas, et c'est un éloge encore à lui faire, que donnant Gil Blas partie par partie, à des intervalles très éloignés, il ait toujours retrouvé cette même direction de pensée et ce même état d'humeur, et ce même ton.Mais il y a tout un Le Sage qui n'a pas même cette demi-valeur morale que nous cherchions tout a l'heure à mesurer au plus juste. On dirait qu'il est dans la destinée du réalisme de tendre au bas, qui n'est pas moins son contraire que le sublime. Je comprends très bien les critiques, comme Joubert par exemple, qui n'admettent pas ces peintures de l'humanité moyenne, et ne trouvent jamais assez de délicatesse et de distinction dans la littérature. Si on les pressait, ils nous diraient: «Oh! c'est que je vous connais! Dès que vous n'êtes plus au-dessus de la commune mesure, vous êtes infiniment au-dessous. L'étude de la réalité n'est jamais qu'un acheminement ou un prétexte a explorer les bas-fonds, et la région moyenne entre l'exception distinguée et l'exception honteuse, c'est où vous ne vous tenez jamais.»Il y a du vrai en vérité, je ne sais pourquoi. Voilà un homme qui a écrit le Gil Blas, qui a montré un sens étonnant du réel, qui s'est tenu, comme la vie, également éloigné des extrêmes, qui n'est pas distingué, mais qui est de bonne compagnie bourgeoise, qui n'est pas très moral, mais qui n'a pas le goût de l'immoralité, et qui, du reste, est honnête homme. Quand il recommence, c'est de coquins purs et simples qu'il nous entretient, avec complaisance peut-être, en tout cas avec une remarquable impuissance à nous entretenir d'autre chose, Guzman d'Alfarache, le Bachelier de Salamanque, traductions ou adaptations de la littérature picaresque, sont du picaresque tout cru. Voilà des gens qui n'ont pas besoin de recevoir de la vie des leçons d'immoralité. Ils naissent gradins de parents voleurs, vivent en brigands, meurent en bandits, après avoir fait souche de canaille.

Le premier effet de la chose, c'est qu'ils sont cruellement ennuyeux.Quel intérêt voulez-vous en effet qu'il y ait, et quelle variété, et quel éveil de curiosité, et où se prendre, dans une série de fourberies se continuant par des vols auxquels succèdent des espiègleries de Cartouche? Je remarque qu'à la page c'est Guzman qui est le voleur, et qu'à la page c'est Guzman qui est le volé; le divertissement est mince; et cela dure, et les volumes sont gros.Et je remarque aussi, sans oublier que le Sage est honnête homme, que l'indifférence entre le mal et le bien, que j'acceptais chez un peintre réaliste, il ne la garde plus tout à fait. Il penche vers les coquins, il faut l'avouer. Où est mon bon archevêque de Grenade qui n'était qu'un honnête sot? Je vois dans Guzman tel évêque qui est absolument enchanté de l'habileté de son laquais à lui voler ses confitures. Quel adroit coquin! Quel génie inventif! Mais voyez comme il me vole bien! Est-il assez gentil! Et toute l'assistance est en extase. On cherche des compliments à ajouter à ceux de

Monseigneur. On envie le voleur. Que ne sait-on aussi spirituellement piller la maison pour mériter l'applaudissement du maître et entrer en faveur! Voilà le goût pour les coquins qui commence.Oh! chez Le Sage, ce n'est pas encore bien grave. Mais c'est un commencement, c'est un signe. Au XVIIe siècle l'idéal moral est toujours présent aux esprits, du moins dans le domaine des lettres. Les comiques mêmes ne l'oublient pas; et c'est La Bruyère qui marque son mépris des malhonnêtes gens à chaque page, et ne veut pas qu'un livre de portraits satiriques signé de lui s'en aille à la postérité sans un chapitre où se montre le grand honnête homme et le chrétien; et c'est Molière qui écrit Scapin, mais qui écrit Alceste aussi et Tartuffe. Ils ont au moins la préoccupation des choses morales; ils l'ont, ou leur public la leur impose, et cela revient presque au même.

Le Sage est leur élève, moins cette préoccupation, moins ce souci, du moins la plume en main. Et dans Gil Blas il n'est qu'insoucieux des choses de la conscience, et voilà qu'un peu plus tard, il descend d'un degré, d'un seul; mais la chute commence. D'autres iront jusqu'au bas de l'échelle. Nous aurons deux phénomènes littéraires très curieux: le goût du bas, et le goût du mal, les amateurs de mauvaises moeurs et les amateurs de méchanceté. Et ce sera la Pucelle, et Crébillon fils et Laclos, et il y a pire que Laclos. Plus on avance dans l'étude du XVIIIe siècle, plus on s'aperçoit de cette brusque rupture qui s'est faite, dès son commencement, dans les traditions intellectuelles. Une lumière s'est éteinte. L'affaiblissement des idées religieuses a eu pour effet une diminution morale. Les hommes se plairont un peu, pendant quelque temps, dans cet état, et puis, s'en fatiguant, chercheront à reconstruire la conscience. Pour le moment il ne faut pas se dissimuler qu'ils s'en passent. Et voilà comment le bon Le Sage, avec tout ce qu'il tient du XVIIe siècle, est de son temps, nonobstant, et annonce un peu celui qui va suivre, et comment on a bien eu raison de voir dans son oeuvre modeste une transition d'un âge à l'autre.

V

Excellent homme, au demeurant, qui n'y a pas mis malice, et bon auteur qui a laissé un chef-d'oeuvre de bon sens, d'observation juste, de narration facile et vive, de satire douce et fine; auteur dont il faut se défier, tant il a l'art de déguiser l'art, tant on est exposé à ne pas s'aviser assez des qualités incomparables qu'il cache sous sa bonhomie et l'aisance modeste de son petit train: auteur aussi qui fait le désespoir des critiques, parce qu'il ne fournit pas la matière d'un bon article n'offrant guère prise à l'attaque, ni aux grands éloges oratoires, ni aux grandes théories.Il en est ainsi pour tous ceux qui ont excellé dans un genre moyen. Cela leur fait un peu de tort: ils n'ont pas de belles oraisons funèbres, ni, ce qui est plus flatteur encore pour une ombre, de batailles sur leurs tombeaux. Leur compensation c'est qu'ils sont toujours lus. Et ils sont lus personnellement, ce qui vaut beaucoup mieux que de l'être par «fragments bien choisis», dans les livres des autres.

MARIVAUX

Ce sera un divertissement de la critique érudite dans quatre on cinq siècles: on se demandera si Marivaux n'était point une femme d'esprit du XVIIIe siècle, et si les renseignements biographiques, peu nombreux dès à présent, font alors totalement défaut, il est à croire qu'on mettra son nom, avec honneur, dans la liste des femmes célèbres.Si on se bornait à le lire, on n'aurait aucun doute à cet égard. Il n'y eut jamais d'esprit plus féminin, et par ses défauts et par ses dons. Il est femme, de coeur, d'intelligence, de manière et de style. Il l'était, dit-on, de caractère, par sa sensibilité, sa susceptibilité très vive, une certaine timidité, l'absence d'énergie et de persévérance, une grande bonté et une grande douceur dans une sorte de nonchalance, et après des caprices d'ambition, des retours vers l'ombre et le repos. Ses sentiments religieux, des mouvements de tendresse pour ceux qui souffrent, son goût pour les salons et les relations mondaines, complètent, si l'on veut, l'analogie.Mais c'est par sa tournure d'esprit qu'il semble, surtout, appartenir à ce sexe, qu'il a, souvent, peint avec tant de bonheur. Son nom est fragilité, et coquetterie, et grâce un peu maniérée. Je n'ai pas dit frivolité, je dis fragilité, pensée fine, brillante et légère, incapable des grands objets, et se brisant à les saisir. Je n'ai pas dit mauvais goût, je dis coquetterie, démangeaison de toujours plaire, avec détours, manoeuvres et ressources un peu empruntées pour y atteindre. Faut-il ajouter encore un certain manque de suite dans les démarches de son esprit? Il quitte, reprend, et quitte encore les plus chers objets de son étude; il a comme de l'inconstance dans le talent.Faut-il dire encore qu'un certain degré d'originalité lui manque, ou plutôt, car ici il y a lieu à de grandes réserves, qu'il ne sait pas bien se rendre compte de sa vraie originalité, et une fois qu'il l'a trouvée, s'y bien tenir?Il y a toujours du je ne sais quoi dans Marivaux, et un très piquant mystère. Il inquiète. Il échappe. Il entre très difficilement dans les définitions toutes faites, et non moins dans celles qu'on fait pour lui. Il impatiente par une inégalité de talent qui semble une inégalité d'humeur. On le trouve quelquefois absurde, quelquefois ennuyeux, quelquefois exquis; et tout compte fait, on est amoureux de lui. Décidément c'est l'érudit du vingt-cinquième siècle qui a raison.

I

MARIVAUX PHILOSOPHE

Il était absolument incapable d'une idée abstraite. Comme le goût de son temps était à la philosophie, il a philosophé de tout son coeur, en plusieurs volumes; car il avait cela aussi de féminin qu'il obéissait à la mode. Il semble même avoir eu une grande inclination pour cette mode-là. A plusieurs reprises il a voulu courir la carrière de publiciste. Après le Spectateur français, l'Indigent philosophe; après l'Indigent philosophe, le Cabinet du philosophe, et les Lettre de Madame de M***, et le Miroir. C'étaient feuilles volantes, sorte de journal intermittent où il prétendait exprimer, au hasard des circonstances, ses idées sur toutes choses. La lecture en est cruelle. On préférerait l'abbé de Saint-Pierre, qui, du moins, provoque la discussion. Dans le Marivaux publiciste, il n'y a pas même une idée fausse. Quand ce ne sont point des anecdotes et petites histoires sentimentales, sur quoi nous reviendrons, ce sont des lieux communs entortillés dans des phrases difficiles, ou des banalités de sentiment délayées dans du babillage. Il n'y a rien au monde qui soit plus vide. On saisit là le fond de la pensée de Marivaux, qui était qu'il ne pensait point. On s'est efforcé de trouver dans ces volumes au moins des tendances philosophiques, intéressantes à relever, comme indication du tour d'esprit général de l'aimable écrivain. On le montre ennemi du préjugé nobiliaire, très touché de l'inégalité des conditions sociales, etc. A le lire sans parti pris ni pour ni contre lui, et même avec la complaisance qu'il mérite, on reconnaîtra qu'il ne nous donne sur ces sujets, faiblement exprimées, que les idées courantes, et qui couraient depuis bien longtemps. Ses dissertations sont démocratiques comme la satire de Boileau sur la Noblesse, et socialistes comme un sermon de Massillon. C'étaient là propos de salon, à remplir les heures, et rien de plus. Quand il ne raconte pas quelque chose, on ne saurait dire à quel point Marivaux, dans le Spectateur et ouvrages analogues, nous tient les discours d'un homme qui n'a rien à dire.«Du moment qu'il se fait journaliste...», me répondra-t-on.Sans doute; mais ce journaliste est Marivaux, et dans tout le fatras ordinaire des feuilles volantes, on s'attendrait à trouver, çà et là, quelque passage révélant un homme qui réfléchit, ou qui a, d'avance, certaines idées arrêtées sur les choses. C'est ce qui manque. L'absence d'idées générales, et probablement l'incapacité d'en avoir, est un trait important du personnage que nous considérons. À lire les autres oeuvres de Marivaux, on soupçonne cette lacune; à lire le Spectateur, on s'en assure.

La chose est peut-être plus sensible, quand on s'enquiert des idées littéraires de Marivaux. On sait que Marivaux est un «moderne», ce que je ne songe nullement à lui reprocher; car non seulement il est permis d'être «moderne», mais il n'est pas mauvais de l'être, quand on est artiste, pour avoir le courage d'être original. Marivaux est donc contre les anciens; mais rien ne montre mieux son impuissance à exprimer une idée, c'est-à-dire à en avoir une, que la manière dont il plaide sa cause. Tout à l'heure, il était diffus et vide, maintenant il est inintelligible et inextricable:

«Nous avons des auteurs admirables pour nous, et pour tous ceux qui pourront se mettre au vrai point de vue de notre siècle. Eh bien, un jeune homme doit-il être le copiste de la façon de faire de ces auteurs? Non! cette façon a je ne sais quel caractère ingénieux et fin dont l'imitation littérale ne fera de lui qu'un singe, et l'obligera de courir vraiment après l'esprit, l'empêchera d'être naturel. Ainsi, que ce jeune homme n'imite ni l'ingénieux, ni le fin, ni le noble d'aucun auteur ancien ou moderne, parce que ou ses organes s'assujettissent à une autre sorte de fin, d'ingénieux et de noble, ou qu'enfin cet ingénieux et ce fin qu'il voudrait imiter, ne l'est dans ces auteurs qu'en supposant le caractère des moeurs qu'ils ont peintes. Qu'il se nourrisse seulement l'esprit de tout ce qu'ils ont de bon (il faudrait indiquer à quoi ce bon se reconnaît) et qu'il abandonne après cet esprit à son geste naturel.»

Toutes les fois qu'il touche à cette question, c'est ainsi qu'il parle. Ce qui précède est à là fin de la septième feuille du Spectateur; le galimatias est plus terrible au commencement de la huitième.

Voici de son style quand il se fait critique. Sur Ines de Castro:

«... Et certainement c'est ce qu'on peut regarder comme le trait du plus grand maître: on aurait beau chercher l'art d'en faire autant, il n'y a point d'autre secret pour cela que d'avoir une âme capable de se pénétrer jusqu'à un certain point des sujets qu'elle envisage. C'est cette profonde capacité de sentiment qui met un homme sur la voie de ces idées si convenables, si significatives; c'est elle qui lui indique ces tours si familiers, si relatifs à nos coeurs; qui lui enseigne ces mouvements faits pour aller les uns avec les autres, pour entraîner avec eux l'image de tout ce qui s'est déjà passé, et pour prêter aux situations qu'on traite ce caractère séduisant qui sauve tout, qui justifie tout, et qui même, exposant les choses qu'on ne croirait pas régulières, les met dans un biais qui nous assujettit toujours à bon compte; parce qu'en effet le biais est dans la nature, quoiqu'il cessât d'y être si on ne savait pas le tourner: car en fait de mouvement la nature a le pour et le contre; et il ne s'agit que de bien ajuster.»

Marivaux était de ceux, ou de celles, a qui l'idée pure, même très peu abstraite, échappe complètement, qui n'ont ni prise pour la saisir, ni force pour la suivre, ni langage pour l'exprimer. Il n'était un «penseur» à aucun degré, et le peu de cas qu'en ont fait les philosophes du XVIIIe siècle tient en partie à cette raison.

Il était mieux qu'un penseur; il était un moraliste. Ce n'est pas encore tout à fait le vrai mot, et c'est chose curieuse même, comme ce romancier si agréable, et cet auteur dramatique si rare, est peu moraliste à proprement parler. Il me semble qu'il observe assez peu, et qu'on ne trouverait guère dans Marivaux de véritables études de moeurs ni de copieux renseignements sur la société de son temps. Dans ses journaux, pour commencer par eux, on ne rencontre que très peu de détails de moeurs. Il trouve le moyen de faire des «chroniques» non politiques, rarement littéraires, et où la société qu'il a sous les yeux n'apparaît point. Il n'a pas même cette vue superficielle des choses environnantes qui rend lisible Duclos. Ses causeries, pour ce qui est du fond, et dans une forme abandonnée et languissante qui, malheureusement, n'est qu'à lui, annoncent beaucoup moins Duclos qu'elles ne rappellent les Lettres galantes de Fontenelle. Ce sont des mémoires pour ne pas servir à l'histoire de son temps. Il est juste de faire quelques exceptions. On a relevé avec raison ce passage où nous apparaît un pauvre jeune homme, distingué, aimable, causeur spirituel, et qui devient absolument muet, stupide et paralysé de terreur devant son père. Voilà qui est vu, et voilà un renseignement. Mais dirais-je qu'il me semble que cela a bien l'air d'un cas très particulier et exceptionnel, et forme un renseignement plutôt sur l'époque antérieure que sur celle dont est Marivaux?J'aime mieux citer la jolie page sur l'admiration des Français pour les étrangers, parce que c'est là un travers qui paraît bien s'introduire en France précisément dans le temps que Marivaux l'observe et le dénonce. Le passage, du reste, est charmant:

«C'est une plaisante nation que la nôtre: sa vanité n'est pas faite comme celle des autres peuples; ceux-ci sont vains tout naturellement, ils n'y cherchent point de subtilité; ils estiment tout ce qui se fait chez eux cent fois plus que ce qui se fait ailleurs... voilà ce qu'on appelle une vanité franche. Mais nous autres, Français, il faut que nous touchions à tout et nous avons changé tout cela. Nous y entendons bien plus de finesse, et nous sommes autrement déliés sur l'amour-propre. Estimer ce qui se fait chez nous! Eh! où en serait-on s'il fallait louer ses compatriotes?... On ne saurait croire le plaisir qu'un Français sent à dénigrer nos meilleurs ouvrages, et à leur préférer les fariboles venues de loin. Ces gens-là pensent plus que nous, dit-il; et, dans le fond, il ne le croit pas... C'est qu'il faut que l'amour-propre de tout le monde vive. Primo il parle des habiles gens de son pays, et, tout habiles qu'ils sont, il les juge; cela lui fait passer un petit moment assez flatteur. Il les humilie, autre irrévérence qui lui tourne en profondeur de jugement: qu'ils viennent, qu'ils paraissent, ils ne l'étonneront point, ils ne déferreront pas Monsieur; ce sera puissance contre puissance. Enfin, quand il met les étrangers au-dessus de son pays, Monsieur n'a plus du paysan au moins: c'est l'homme de toute nation, de tout caractère d'esprit; et, somme totale, il en sait plus que les étrangers eux-mêmes.»

À la bonne heure! voilà surprendre en ses commencements une manie qui n'existait point à l'âge précédent, qui est un caractère assez important de tout le XVIIIe siècle, qui aura ses suites, bonnes, mauvaises, parfois heureuses, souvent ridicules, dans l'avenir, et dont le principe psychologique est très finement démêlé.

Cela est rare. Le plus souvent Marivaux n'observe point, ou fait des observations déjà faites, par exemple sur les financiers et les directeurs, sans les renouveler par le détail ou par la forme. Dans ses romans même, je ne le trouve point si profond connaisseur en choses humaines. Ce que je dis ici sera redressé par ce qui va suivre; mais je fais une remarque générale qui m'inquiète un peu: voici deux romans de moeurs, formellement et de profession romans de moeurs, qui se passent dans le temps où l'auteur écrit, dans le pays et dans la société où il vit, des romans où le petit détail des actions humaines a sa place, des «romans où l'on mange», comme on a dit spirituellement, enfin des romans de moeurs. Eh bien, j'en vois un où il n'y a guère que des gens parfaits, et un autre où il n'y a guère que de plats gueux et des femmes perdues. Je ne sais pas lequel (à les considérer en leur ensemble) est le plus faux. Dans Marianne, jusqu'aux loups sont tendres, sensibles et vertueux. Marianne est exquise de délicatesse; voici une dame qui a la passion du désintéressement, en voici une autre qui est l'idéal même. Le Tartuffe de l'affaire, M. de Climal, a une fin si édifiante et dans tout le cours de son histoire une attitude si piteuse dans le mal, qu'on en vient à se dire que ce n'est point du tout un Tartuffe, mais un homme bon et vraiment pieux, qui a eu une faiblesse, ou plutôt une tentation de quinquagénaire, très pardonnable quand on connaît Marianne. Savez-vous ce qu'aurait fait M. de Climal, s'il eût vécu, en présence de la résistance de la jeune fille? Je suis sûr qu'il l'eût épousée.

Voilà l'aspect général de Marianne; on y voit comme un parti pris d'optimisme et une indiscrétion de vertu. Et voici le Paysan parvenu où je ne trouve ni un honnête homme ni une femme sage, où tout roule, je ne dis pas sur les plus bas sentiments, mais sur le plus bas des instincts, sur l'appétit sexuel, sans que rien, absolument, s'y mêle, de ce qui, d'ordinaire, le relève, le déguise, ou au moins l'habille. Lui, rien que lui. Par lui les intérieurs sont troublés, les familles désunies, robe, finances et ministères en émoi; par lui on meurt, on épouse, on s'enrichit, on entre en place, on parvient à tout.

Je reviendrai plus tard sur ces choses; pour le moment, je ne montre que l'ensemble et le contraste entre ces deux oeuvres d'imagination, et je crois voir que ce sont bien des oeuvres, en effet, où l'imagination domine. La réalité n'est point si tranchée que cela, ni dans le bien ni dans le mal. Ces romans renferment, nous le verrons, des parties d'observation très distingués, qu'il faut connaître; mais, en leur fond, ils ne procèdent pas de l'observation; ils n'ont point été conçus dans le réel; un peu de réel s'y est seulement ajouté. Ils procèdent chacun d'une idée, et un peu d'une idée en l'air, d'une fantaisie séduisante, qui a amusé l'esprit de l'auteur. Ce n'est point un vrai moraliste qui a écrit cela.

C'est qu'en effet il l'était peu, et seulement comme par boutades. La preuve en est encore dans ce tour d'esprit singulier, dans cette humeur fantasque d'imagination, dans cette excentricité laborieuse qui le guide plus souvent qu'on ne l'a remarqué dans le choix de ses sujets. Il s'en ira écrire des comédies mythologiques où figurent Minerve, Cupidon et Plutus, échangeant des «discours sophistiqués et des raisonnements quintessenciés». C'est ce que disait La Bruyère de Cydias; et ce que ces singulières productions dramatiques rappellent le plus, c'est bien en effet les Dialogues des morts de Fontenelle, et leur banalité attifée de paradoxes. Voyez plutôt: Cupidon fait l'éloge de la Pudeur, ce qui est le fin du fin, le plus piquant ragoût, et il dit: «Moi! je l'adore, et mes sujets aussi! Ils la trouvent si charmante qu'ils la poursuivent partout où ils la trouvent. Mais je m'appelle Amour; mon métier n'est point d'avoir soin d'elle. Il y a le Respect, la Sagesse, l'Honneur qui sont commis à sa garde; voilà ses officiers...»Que tout cela est joli, et que voilà un rien bien travaillé!

Sur cette pente, il va jusqu'au bout, et quel est l'extrême en cela? Rien autre que la Moralité à allégories du moyen âge. Ne doutez point qu'il n'en ait écrit. Nous voici sur le Chemin de Fortune. Deux gentilshommes se rencontrent non loin du palais de Fortune. Ils voient de petits mausolées, avec des épitaphes: «Ci gît la fidélité d'un ami!»«Ci gît la parole d'un Normand!» «Ci gît l'innocence d'une jeune fille!»«Ci gît le soin que sa mère avait de la garder», ce qui est bien plus finement imaginé encore, car il faut renchérir. Et les deux gentilshommes avancent. Un seigneur qui s'appelle Scrupule sort d'un petit bois et les arrête; une dame qui se nomme Cupidité les soutient et les encourage, et le drame continue ainsi...

N'est-ce pas curieux ce retour au XVe siècle par-dessus toute la littérature classique, et qu'est-ce à dire, sinon, d'abord que Marivaux a une naturelle contorsion dans l'esprit, et ensuite qu'un esprit s'abandonne à ces singulières démarches parce qu'il n'est pas nourri et soutenu de connaissances solides et de vérité?Il y a autre chose, certes, dans Marivaux; qu'il y ait cela, c'est un signe, non seulement de mauvais goût, mais d'un certain manque de fond. Le fond, ce sont les idées et les observations morales, et les grands siècles littéraires sont riches, avant tout, de cette double matière. Quand elle fait un peu défaut, il arrive qu'un homme de beaucoup d'esprit, et novateur sur certains points, recule tout à coup, par delà les grandes générations littéraires dont il sort, jusqu'au temps où les hommes de lettres pensaient peu, observaient moins encore, et où la littérature était une frivolité pénible, et une charade très soignée.

II

MARIVAUX ROMANCIER

Faible penseur et médiocre moraliste, qu'était-il donc?Il avait de très grands dons de romancier et de psychologue. Car il ne faut pas confondre le psychologue et le moraliste. Ils sont très différents. Pascal dirait que le moraliste a l'esprit de finesse et le psychologue l'esprit de géométrie. Le moraliste a la passion de regarder et le don de voir juste. Il se pénètre de réalité de toutes parts. Il voit une multitude de détails, du menus faits, «principes» ténus et innombrables de sa connaissance, et c'est de la lente accumulation de ces multiples impressions du réel que se fait l'étoffe du son esprit. Il peut n'être pas psychologue: ces faits qu'il saisit si bien, et en si grand nombre, et qu'il garde sûrement, il peut ne pas les analyser, n'en pas voir les sources ou les racines, les causes prochaines ou éloignées, l'enchaînement, l'évolution, la secrète économie. Personne n'est plus sûr moraliste que Le Sage, personne n'est moins psychologue.Le psychologue ne voit, ou peut ne voir que quelques faits moraux, assez sensibles, assez gros même, «principes» peu nombreux et facilement saisissables de son art. Il peut n'être pas plus informé que chacun de nous. Mais, ces principes, il sait en tirer tout ce qu'ils contiennent; ces faits moraux, il sait les creuser, les analyser, voir ce qu'ils supposent, ce qu'ils comportent, et d'où ils doivent venir, et où ils mènent, et pénétrer comme leur constitution, comme leur physiologie.

Le moraliste se prolongeant en un psychologue sera un romancier admirable. Le moraliste qui n'est que moraliste, le psychologue qui n'est que psychologue, pourra être un romancier de grand mérite, mais incomplet. Tout romancier est l'un et l'autre, mais il tient plus de l'un que de l'autre, selon sa complexion naturelle. Marivaux est surtout psychologue, et il l'est presque exclusivement. Voilà pourquoi ses romans semblent faux dans leur ensemble: il n'a pas assez vu;et ont des parties éclatantes de vérité: certaines choses qu'il a vues, il les a très profondément pénétrées.

Quant à être attiré vers le roman, et né pour cela, il l'était absolument. Le psychologue a toujours au moins la tentation d'être romancier. Le moraliste l'a souvent aussi, mais beaucoup moins. Réunir beaucoup de documents sur l'espèce humaine, c'est là son plaisir, et le plus souvent il se borne à écrire les Caractères. Coordonner ses documents dans un tableau d'ensemble et faire mouvoir ce tableau sous les yeux du lecteur par la machine simple et légère d'un récit un peu lent, l'idée peut lui en plaire, et il écrira le Gil Blas; mais il faut déjà qu'il ait d'autres dons, et partant d'autres sollicitations que ceux du simple moraliste.

Le psychologue, lui, va droit au roman, de son mouvement naturel, et sans se douter qu'il n'a pas tout ce qu'il faut pour l'achever; d'où, peut-être, vient que Marivaux a toujours commencé les siens et ne les a jamais finis. Il va droit au roman, parce que sa manière d'étudier est déjà une façon de se raconter quelque chose. Il n'est pas l'homme qui jette de tous côtés avec promptitude des regards exercés et puissants; il est l'homme qui, frappé d'un certain fait, le creuse et le scrute avec patience pour remonter à ses origines, quitte à redescendre ensuite à ses conséquences. Il suit l'évolution d'un sentiment, d'une passion, soutenant tel point de la chaîne d'une observation ou d'un souvenir, et comblant discrètement les lacunes avec quelques hypothèses. Il va, vient, induit, déduit, raccorde, et tout compte fait, c'est un petit récit de la naissance, du développement, de la grandeur et de la décadence d'un fait moral, qu'il s'expose à lui-même.Que le roman sorte naturellement de là, c'est tout simple; qu'il en sorte complet, avec tous ses organes, et doué d'une vie, c'est une autre affaire. Quant à la tentation de l'écrire, elle est sûre.

Et c'est bien ce qui arrive à Marivaux. J'ai assez dit, et un peu trop, qu'il n'y a rien dans le Spectateur, et suites. Il n'y a presque rien dont le moraliste ou l'historien des idées puisse faire son profit. Mais il y a à chaque instant des commencements de roman, des nouvelles, des romans rudimentaires. A chaque instant Marivaux glisse au récit. Et quel est le caractère de ce récit? Ce sont toujours, non précisément des observations morales, mais des situations psychologiques. Une jeune fille lui écrit: «J'ai été séduite, et je suis bien malheureuse, et voici ce que j'ai senti, et ce que je sens pour le coupable...»Un mari lui écrit: «Je n'ai pas de chance. Ma femme a telle conduite à mon égard. Je suis jaloux, et je suis perplexe. D'un côté... de l'autre... etc.»L'Indigent philosophe devrait être, comme le Spectateur, un recueil de réflexions diverses: très vite il se tourne de lui-même en récit picaresque.

Ainsi partout. Quoi qu'écrive Marivaux, il ne va pas loin sans qu'on voie poindre le roman, et sans qu'on voie aussi, peut-être, que c'est roman très mince d'étoffe et qui ne comportera guère que l'histoire d'un seul sentiment traversant deux ou trois situations légèrement différentes, et entouré, pour qu'il y ait cadre, à peu près de n'importe quoi.

Marianne et le Paysan parvenu sont conçus ainsi, avec plus de prétentions, plus de suite, plus de succès aussi; mais au fond tout de même.

Marivaux a été frappé d'un trait du caractère féminin, l'amour-propre dans le désir de plaire. Il a vu une jeune fille française, assez froide de coeur et de sens, intelligente, avisée et fine, sans aucune passion, et même sans aucun sentiment fort, ni pour le bien ni pour le mal, incapable d'exaltation, à peu près fermée aux ardeurs religieuses et parfaitement à l'abri des emportements de l'amour, ne désirant que plaire et inspirer aux autres le culte très délicat qu'elle a d'elle-même, et puisant dans cette complaisance qu'elle a pour soi une foule de vertus moyennes qui la rendent très aimable et très recherchée. Elle est née avec des instincts de délicatesse, de précaution à ne point se salir, de propreté morale, et la coquetterie est chez elle comme une forme de son amour-propre: quel que soit le miroir où elle se regarde, que ce soit sa petite glace d'ouvrière, sa conscience ou le coeur des autres, elle veut s'y voir à son avantage.

En butte à la poursuite d'un vieux libertin, elle n'aura point le mouvement de dégoût violent d'un coeur orgueilleux, la nausée d'une patricienne. Elle feindra de ne pas comprendre le désir qui la poursuit, elle se persuadera à elle-même qu'elle ne s'en aperçoit pas. Tant qu'elle peut dire, ou se dire, qu'elle ne sait pas ce qu'on lui veut, l'amour-propre est sauf. Cet argent qu'on lui donne, ce trousseau qu'on lui achète, tant qu'on n'a rien demandé en échange, cela peut passer pour charités paternelles; qui sait si ce n'est pas cela? L'orgueil refuserait, l'amour-propre accepte, parce que l'amour-propre est un sophiste. Ce baiser sur l'oreille en descendant de voiture méritait un soufflet. Mais s'il peut passer pour un heurt involontaire? Il faut qu'il passe pour cela, qu'il soit cela: «Ah! Monsieur! vous ai-je fait mal?» Le sophisme est un peu fort; mais encore pour cette fois l'amour-propre s'est tiré d'affaire.

Mais quand M. de Climal en est venu aux déclarations franches, et aux propositions sans périphrases? Cette fois, il n'est sophisme qui tienne. Il faut renvoyer l'argent. On le renvoie. Il faut renvoyer la robe. Ah! la robe, c'est plus difficile, et c'est ici que le coeur se gonfle. Marianne se sent si bien née pour porter cette robe-là, offerte autrement! Est-ce qu'elle ne devrait pas venir d'elle-même sur ses épaules? Enfin on la renvoie aussi; le sacrifice est fait, et l'on peut se regarder dans son miroir.

Voilà la conscience de Marianne. Elle est réelle, puisqu'elle ne capitule point; mais elle négocie. Elle ne fait point de sortie; elle s'assure, au plus juste, et sans sacrifices inutiles, les honneurs de la guerre. Elle est faite d'un fond de dignité où s'ajoute beaucoup d'adresse et de prudence: il n'est pas défendu d'être habile. Marianne la définit elle-même bien finement: «On croit souvent avoir la conscience délicate, non pas à cause des sacrifices qu'on lui fait, mais à cause de la peine qu'on prend avec elle pour s'exempter de lui en faire.»

Ses coquetteries auront le même caractère que ses défenses; et comme ses résistances étaient mesurées juste à ce que l'amour-propre exige, ses demi-provocations se tiendront dans les limites d'une dignité qui est ferme, sans se croire obligée d'être barbare. On est à l'église. On se place parmi le beau monde. Et pourquoi non? On s'y place, on ne s'y étale point. La modestie, c'est la dignité, et l'on est modeste; mais l'humilité ce n'est plus de la conscience; cela dépasse les bornes; c'est du christianisme.On regarde les vitraux, non point parce que ce mouvement fait valoir les yeux et l'attache du cou, mais parce que ces vitraux sont de belles choses; et si les yeux et le cou en profitent, ce n'est pas de notre faute.Il n'est pas bien de montrer la naissance de son bras; mais il n'est pas défendu de redresser sa cornette, et si, dans ce geste, le bras attire quelque regard approbateur, ce n'est point qu'il se montre, ce n'est point qu'il se laisse voir; c'est la faute de la cornette. Ce sont coquetteries innocentes, parce qu'elles sont involontaires, ou du moins qu'elles pourraient l'être.

Et en présence d'un amour sérieux qu'elle a fait naître, comment se comportera notre Marianne? Remarquez d'abord que les amours qu'elle inspire sont vifs mais non point ardents ni profonds. Les grandes passions ne vont point à des femmes comme Marianne; elles vont plus haut, ou plus bas. Trois hommes aiment Marianne: un libertin qui n'a vu que ses quinze ans; un Dorante qui a vu sa grâce; un homme mûr et sérieux qui a vu l'équilibre, l'assiette ferme de son esprit. Le libertin est repoussé; l'homme sérieux a le sort ordinaire des hommes sérieux: il a un grand succès d'estime; le Dorante, M. de Valville, est accueilli, sévèrement puni d'un instant d'infidélité, et, en définitive, serait épousé, si Marianne avait terminé son oeuvre23.

: (retour) Il épouse dans le dénouement que le continuateur de Marivaux a ajouté.
Marianne aime donc, mais comme elle fait toute chose: elle aime sur la défensive. Elle ne s'abandonne ni à l'amour, ni même au plaisir d'être aimée, parce qu'elle ne s'oublie jamais. L'amour-propre défend d'être dupe. Tant que Valville se montre empressé, elle se montre attentive, et rien de plus. Et comme elle a bien raison! Car voilà que Valville est infidèle, et où en serions-nous maintenant, si nous avions laissé voir que nous aimions? Mais nous n'avons point fait cette faute, et nous confondons le perfide par une petite scène de générosité dédaigneuse très bien conduite: «Allez! Monsieur, il vous est tout loisible...»Et alors, comme nous sommes, sinon heureuse, du moins contente de nous, ce qui est la petite monnaie du bonheur! Comme nous puisons dans notre vanité satisfaite, dans notre amour-propre chatouillé, dans notre dignité qui se sent intacte et qui se rengorge un peu, une consolation que d'autres trouveraient amère, mais que nous trouvons très suffisante!

«Pour moi, je revenais tout émue de ma petite expédition; mais je dis agréablement émue: cette dignité de sentiments que je venais de montrer à mon infidèle; cette honte et cette humiliation que je laissais dans son coeur; cet étonnement où il devait être de la noblesse de mon procédé; enfin cette supériorité que mon âme venait de prendre sur la sienne, supériorité plus attendrissante que fâcheuse... tout cela me chatouillait intérieurement d'un sentiment doux et flatteur... Voilà qui était fait: il ne lui était plus possible, à mon avis, d'aimer Mlle Walthon d'aussi bon coeur qu'il l'aurait fait; je le défiais d'avoir la paix avec lui-même... et c'étaient là les petites pensées qui m'occupaient... et je ne saurais vous dire le charme qu'elles avaient pour moi, ni combien elles tempéraient ma douleur.»

Fort bien, Marianne, vous n'aimez point, voilà qui est clair; mais, d'abord, vous prenez le vrai chemin pour être aimée, et du reste, vous êtes une petite personne clairvoyante, très ferme, très sûre de soi, très forte, et qui le sait, et qui s'en félicite très complaisamment, et qui trouve dans ce sentiment tous les réconforts du monde; et c'est plaisir de voir avec quelle gratitude envers vous-même vous vous regardez dans votre miroir.

Voilà Marianne. Ce n'est guère qu'un portrait; ce n'est guère que l'étude minutieuse d'un seul sentiment, ou d'un groupe de sentiments qui ont ensemble étroit parentage, et qui s'entrelacent les uns dans les autres. Mais c'est une étude psychologique très poussée, et souvent très finement juste. Quelquefois on dirait du La Rochefoucauld un peu délayé. Marivaux connaît bien les femmes. Je crois qu'il ne connaît qu'elles; mais il s'y entend. Il démêle très heureusement les ressorts déliés et frêles d'un caractère féminin. À ne considérer dans Marianne que Marianne seule, la lecture de ce livre est d'un très grand charme. Sur le reste je reviendrai, et j'aurai bien à dire; mais ce que je crois voir pour le moment, c'est combien Marivaux a de pénétration psychologique pour aller jusqu'au fond intime d'un sentiment surprendre la structure secrète, compter les contractions, isoler les fibres.

Le Paysan parvenu, à ne regarder encore que le personnage principal, est beaucoup moins distingué. Ne crions pas trop vite à la pure convention. Il y a de la vérité dans M. Jacob. L'homme qui arrive par les femmes est un caractère saisi sur le vif, qui est particulièrement contemporain de Marivaux; mais qui est de tous les temps; et Marivaux en a bien saisi le trait principal, la confiance tranquille et presque béate, le laisser-aller, l'aimable abandon. Un tel homme se sent très vite une force naturelle, une puissance sereine et inévitable du monde physique, une sève. Il a la placidité d'un élément. Il en a l'inconscience. Les succès lui sont dus, comme au fleuve les vallées profondes; il s'y laisse aller d'un mouvement lent et sûr.

À cela s'ajoute, chez M. Jacob, un peu de finesse rustique, un patelinage de paysan madré, qui est un bon détail, et met un peu de variété dans la monotonie forcée, et comme essentielle, d'un tel personnage.

La progression même, dans le développement du caractère, est bien observée. Au commencement quelques scrupules, et aussi quelques timidités. Le propre d'une force comme celle qui fait le fond de l'honorable M. Jacob est de s'ignorer d'abord, et, tant qu'elle s'ignore, d'être contenue par les préjugés de l'éducation en usage chez les honnêtes gens. M. Jacob commence par n'accepter que quelques écus de la dame et de la femme de chambre; il refuse une forte somme, parce qu'elle est trop forte, et d'origine suspecte. Il refuse d'épouser la suivante, à certaines conditions que le maître de la maison veut imposer. On a son honneur, un honneur de valet, point trop délicat, mais qui ne s'accommode pas encore de tout.

Mais ensuite M. Jacob apprend peu a peu ce qu'il est, et il s'abandonne à son étoile; et il est admirable d'assurance sur le domaine qu'il sait qui est à lui. Distinction très fine: il est à l'aise, et très vite, beau parleur avec les femmes; mais les hommes l'intimident longtemps. À l'opera, au milieu des beaux marquis, il se sent gêné, voudrait se cacher; il rencontre le regard d'une marquise, et le voilà rétabli dans ses avantages. Il y a des détails excellents. On lui offre une place; il est chez celui qui en dispose; il l'a acceptée. La pauvre femme de celui à qui on la retire arrive en larmes et supplie. Voyez-vous Gil Blas à la place de Jacob? Je crois l'entendre: «Je m'en allai très confus et faisant réflexion que le bonheur des uns est toujours formé du malheur des autres. Mais elle était arrivée un instant trop tard; j'avais accepté, el il eût été désobligeant de rendre.» M. Jacob, lui, rend la place. Ce n'est point un ambitieux ou batailleur dans le combat de la vie. Il ne se pousse pas, il arrive. Il fait cent fois pis que Gil Blas; mais point les mêmes choses. Leurs empires sont différents. Cette place, il a le sentiment qu'il n'en a pas besoin; il la retrouvera, ou mieux. Sa carrière est ailleurs que dans les antichambres ministérielles, et plus sûre. Chacun n'a d'assurance, d'énergie, et même d'effronterie que dans son métier.

Il est donc bon ce Jacob; mais il n'est pas conduit, ce me semble, jusqu'au terme logique et naturel de son développement (ce qui tient peut-être à ce que Marivaux n'a pas terminé lui-même le Paysan parvenu, non plus que Marianne). J'ai soupçon que l'assurance de l'homme doué de la puissance naturelle qui fait la fortune de M. Jacob, doit se tourner assez promptement, en une sorte de brutalité. Se sentir sûr de l'amour de toutes les femmes développe étrangement le fond de férocité qui est en l'homme. Si les mortels ordinaires ont tant d'aversion pour les Jacob, c'est un peu jalousie; un peu sentiment de dignité; surtout certitude que ces gens-là ne se bornent pas à être des misérables et deviennent très vite des coquins. Molière n'a pas manqué de faire son Don Juan méchant. Il faut un peu l'être pour être Don Juan, et surtout à faire comme Don Juan, on est sûr de le devenir. Le Leone-Leoni de George Sand, encore qu'un peu poussé au noir, est très bien vu à cet égard24. Marivaux ne l'a pas entendu ainsi et s'est peut-être trompé.

: (retour) Je n'ai pas besoin de rappeler le Bel Ami de Maupassant, qui pourrait être intitulé le Sous-officier parvenu, et où ce trait est très bien marqué, peut-être même avec excès.

Ainsi M. Jacob s'est marié. Il était dans son caractère de rendre sa femme horriblement malheureuse, la rencontrant comme un obstacle après l'avoir saisie comme un premier échelon. Marivaux est doux; il lui a épargné cette cruauté, en tuant sa femme à propos. C'est peut-être reculer devant le point délicat, difficile et intéressant.Passons, et après tout, Mme Jacob a pu mourir. Mais M. Jacob ne montre nulle part le plus petit trait de cette dureté si naturelle à ses semblables, et dont il fallait au moins qu'il eût comme un germe. Il est bénin, et tout passif. Il est choyé, dorloté, engraissé et doucement papelard.

Souvent on le prendrait plutôt pour un «directeur» que pour ce qu'il est, et il n'y a rien de plus différent. C'est que Marivaux est un génie féminin, et s'entend a peindre surtout les femmes et les personnages qui leur ressemblent. Il a fait un Jacob un peu adouci, un peu féminisé, sans songer que les Jacob réussissent auprès des femmes précisément parce qu'ils ne leur ressemblent pas; un Jacob qui n'est point faux, car le trait principal est bien saisi; mais qui s'arrête comme à mi-chemin de son évolution naturelle, qui bénite à s'accomplir, qui reste indécis parce qu'il resta inachevé, et qui devrait, ce me semble, ne pas réussir, du moins entièrement.

Jolie esquisse du reste, étude psychologique dessinée d'un trait délié et fin, à laquelle il manque, comme toujours, la vigueur, la plénitude, les dons, pour tout dire, du grand moraliste.

Et, enfin, sont-ce là des romans? Mon Dieu, non, et l'on voit bien que c'est à cette conclusion que je suis forcé de venir. Marivaux est un psychologue; il fait un bon «portrait» ou un bon «caractère»; il l'expose bien, dans un bon jour, il le fait deux ou trois fois pour montrer son modèle dans deux ou trois attitudes et dans le jeu nouveau de lumière et d'ombres que de nouveaux entours font sur lui, et il croit avoir écrit un grand roman. Mais il n'a pas assez de matière, une assez grande richesse d'observations pour que ce qui environne sa figure centrale ait autant de réalité qu'elle en a. Il s'ensuit que dans ses romans le personnage principal est vrai, et tout le reste conventionnel.

J'exagère un peu. Dans Marianne, après Marianne, il y a M. de Climal. Dans le Paysan, après Jacob, il y a Mlle Habert cadette. Je le veux bien. Et encore M. de Climal est-il d'une si puissante réalité? Deux ou trois discours de lui sont de petits chefs-d'oeuvre, mélanges infiniment heureux de fausse dévotion qui ronronne et de libertinage honteux qui balbutie. Mais il y a bien quelque incertitude dans le trait général, et je ne sais pas si c'est moi que je dois accuser quand j'hésite à son égard entre le dégoût, la pitié et presque l'estime, selon les circonstances. La complexité, dans la composition d'un personnage, est, suivant les cas, trait de génie ou signe d'impuissance. Le mal est que, pour M. de Climal, le doute au moins reste dans l'esprit.

Mlle Habert n'est point complexe; et elle a de la vérité; mais elle est pâle, elle est sans relief. Elle ne laisse presque rien dans la mémoire. Une figure pleine et grasse, des yeux qui luisent sous des paupières discrètes, les lignes arrondies d'une chatte gourmande, voilà ce que je me rappelle, et c'est quelque chose, mais c'est tout.

Je suis sûr que cette impuissance relative à fournir de matière ses personnages secondaires, Marivaux en a conscience, et que c'est pour cela qu'il les tue à mi-chemin, M. de Climal au tiers de Marianne, Mlle Habert à la moitié du Paysan. Sans doute il ne pouvait point les soutenir, et il s'en est débarrassé, et le vice de composition n'est peut-être qu'une indigence d'invention.

Quant à ce qui reste, quand on en parle, savez-vous ce qui arrive? C'est que ce n'est plus de Marivaux qu'on s'entretient. Ce n'est plus lui qui écrit, c'est son temps. Marivaux, dans ses romans, se trace un cadre assez vaste, y dessine, avec sa psychologie adroite, mais peu puissante, et son observation juste, mais peu riche, une, deux, trois figures, et surtout une, qui ont de la vérité; et il remplit les espaces vides avec ce que lui donnent le tour d'esprit, le tour d'imagination, le bel air, le goût général, les lieux communs et les manies intellectuelles de son époque. Or dans l'époque dont il est, il y a surtout deux goûts dominants en littérature d'imagination: c'est à savoir la vertu et le dévergondage.

Je dis le dévergondage, et c'est chose bien connue déjà du lecteur: il sait que Crébillon fils commence de très bonne heure au XVIIIe siècle, avec les Lettres Persanes et le Temple de Gnide. Ce qu'on oublie quelquefois, c'est que la «vertu», la vertu à la mode de Jean-Jacques, «l'âme vertueuse et sensible» n'est point née sous les auspices de Diderot et de Rousseau. Elle vient au jour, elle aussi, presque au commencement du siècle. On la trouve dans ces mêmes Lettres Persanes à l'épisode des Troglodytes; on la trouve dans tout le théâtre sentimental de La Chaussée, et ne perdons pas de vue que le théâtre de La Chaussée est exactement contemporain des deux romans de Marivaux.

Il faut bien se persuader, et que Diderot n'a inventé ni le libertinage, ni la sensibilité, et que l'un et l'autre sont venus à peu près ensemble, dès que l'influence du XVIIe siècle s'est affaiblie, comme frère et soeur, qu'ils sont en effet. Car ils sont de même famille, et se soutiennent l'un et l'autre, et même se supposent. Dès que la gravité chrétienne a cessé de remplir, ou de soutenir, ou, au moins, de réprimer les esprits, le libertinage s'y est insinué; et dès que le libertinage s'y est introduit, le respect humain, pour en tempérer la crudité, y a mêlé le goût de la vertu et le don de l'attendrissement. On est licencieux, on est lubrique; mais on a bon coeur, on est pitoyable, le spectacle du malheur vous arrache de généreuses larmes, et, sous ce couvert, on continue d'être libertin en toute décence. Et le lecteur peut lire sans rougir l'oeuvre où tant de vertu enveloppe un peu de cynisme; et l'auteur se sauve de ses écarts par la beauté morale de ses conclusions; et tout le monde trouve son compte; et vertu et dévergondage s'en vont de concert tout le long du siècle, jusqu'à Diderot et Rousseau, si enclins à l'un comme à l'autre, et qui ont à l'un et à l'autre, unis et enlacés jusqu'à se confondre, fait de si grandes fortunes, qu'ils passent pour les avoir inventés.

Le fait est constant; quant à la théorie, elle n'est pas de moi; elle est de Marivaux. C'est lui qui établit cette règle de l'union nécessaire de la licence et de l'honnêteté. Il gronde Crébillon fils: Vous êtes trop cru, lui dit-il. Il faut des débauches dans un bon ouvrage, mais tempérées par des tendances vertueuses; «nous sommes naturellement libertins, ou, pour mieux dire, corrompus; mais il ne faut pas nous traiter d'emblée sur ce pied-là. Voulez-vous mettre la corruption dans vos intérêts? Allez-y doucement, apprivoisez-la, ne la poussez point à bout. Le lecteur aime les licences, mais non point les licences extrêmes, excessives... Le lecteur est homme; mais c'est un bomme en repos, qui a du goût, qui est délicat, qui s'attend qu'on fera rire son esprit; qui veut pourtant bien qu'on le débauche, mais honnêtement, avec des façons, avec de la décence.» Que disais-je?

Ces deux goûts dominants, ces deux lieux communs de l'esprit public au XVIIIe siècle, ils n'étaient guère, à la vérité, dans Marivaux. Là où Marivaux est supérieur, ils sont absents; mais c'est avec quoi il a comblé les vides et fait l'étoffe courante et commune de ses romans; c'est ce qu'on trouve dans son oeuvre quand il n'y intervient pas directement, et qu'il la laisse aller d'elle-même.

Sensibilité conventionnelle, toute la partie de Marianne (le second tiers) où la jeune fille est menée dans le monde, conduite chez le ministre, etc. Il y a là une scène dans le cabinet ministériel, avec larmes, génuflexions, genoux embrassés, et ministre la main sur son coeur, qui mériterait d'être peinte par Greuze. Il n'y manque qu'un huissier au second plan ouvrant les bras à demi étendus dans un geste qui veut dire: «Spectacle divin pour une âme sensible!»

Libertinage concerté et appuyé, toutes les dames qui veulent du bien à M. Jacob; détails scabreux, peintures lascives qui se répètent à satiété; une certaine gorge de madame de Fécourt qui reparaît régulièrement, toutes les dix pages... Et tout cela aussi très conventionnel, sans relief, sans individualité des personnes: mademoiselle Habert à part, je confesse que je confonds toutes les autres, et que j'attribue peut-être à madame de Fécourt la gorge de madame de Ferval ou de madame de Vambures.Il y a même un peu de libertinage dans Marianne, et le, pied, déchaussé par accident, de Marianne est bien le pendant du pied, volontairement sans pantoufle, de madame de Ferval.

En vérité tout cela n'est pas de Marivaux; c'est de tout le monde qui est autour du lui; cela n'a pas d'originalité parce que ce n'est pas conception de l'auteur, substance de son esprit, mais matière commune dont il entoure et gonfle ses conceptions pour faire volume. Il a un bien joli mot quelque part: «... moins à la honte de mon coeur qu'à la honte du coeur humain; car chacun a d'abord le sien, et puis un peu celui de tout le monde...»Et chacun aussi a d'abord son esprit, et puis un peu celui des autres, qu'on ajoute au sien pour étendre un peu son domaine; mais à ces biens d'emprunt on ne laisse pas sa marque et les traces d'une possession véritable.

Ce qui est bien de lui, ce sont des longueurs d'une autre espèce, d'interminables réflexions. «Je suis naturellement babillard», dit-il en une préface. Il l'est doublement, étant de complexion un peu féminine, et faisant état de psychologue. Il faut qu'il explique tout par le menu, et, quand il a tout expliqué, qu'il recommence. Il peint deux dévotes engloutissant des plats énormes avec des mines dégoûtées qui doivent donner le change, et convaincre le spectateur, et elles-mêmes, qu'elles n'y mettent point de concupiscence. Il suffisait de dire cela. Il le dit, déjà longuement, et ensuite:

«... Je vis à la fin de quoi j'avais été dupe. C'était de ces airs de dégoût que marquaient mes maîtresses, et qui m'avaient caché la sourde activité de leurs dents. Et le plus plaisant, c'est qu'elles s'imaginaient elles-mêmes être de très petites, de très sobres mangeuses. Et comme il n'était pas décent que des dévotes fussent gourmandes (sans doute, passons); qu'il faut se nourrir pour vivre et non pas vivre pour manger; que, malgré cette maxime raisonnable et chrétienne, leur appétit glouton ne voulait rien perdre, elles avaient trouvé le secret de la gloutonnerie...»

Ah! c'est fini!Non!

«... et c'était par le moyen de ces apparences de dédain pour les viandes; c'était par l'indolence avec laquelle elles y touchaient qu'elles se persuadaient être sobres, en se conservant le plaisir de ne pas l'être; c'était (allez! allez!) à la faveur de cette singerie que leur dévotion laissait innocemment le champ libre à l'intempérance.»

Voilà trop souvent sa manière. Il semble croire que son lecteur est très inintelligent et n'a jamais compris. Marianne ne veut pas avouer au jeune Valville qu'elle est fille de magasin chez Mme Dutour. Elle refuse de donner son adresse; elle retournera à pied, quoique blessée. Elle évite de prononcer le nom de la lingère. Puis, à un moment donné, perdant la tête: «Il faudra donc envoyer chez Mme Dutour.» Quel malheur! elle s'est trahie! «Ah! cette marchande de linge...., répond Valville; c'est donc elle qui aura soin d'aller chez vous dire où vous êtes.» Quelle bonne fortune! Valville n'a pas compris!Le revirement est joli, il est très clair, et le lecteur n'a pas besoin de commentaire. Mais Marivaux en a besoin; il est explicateur fieffé:

«... Y avait-il rien de si piquant que ce qui m'arrivait? Je viens de nommer Mme Dutour; je crois par là avoir tout dit, et que Valville est à peu près au fait. Point du tout. Il se trouve qu'il faut recommencer; que je n'en suis pas quitte; que je ne lui ai rien appris; et qu'au lieu de comprendre (le voilà parti!) que je n'envoie chez elle que parce que j'y demeure, il entend seulement que mon dessein est de la charger d'aller dire à mes parents où je suis; c'est-à-dire qu'il la prend pour ma commissionnaire: c'est là toute la relation qu'il imagine entre elle et moi.»

Cela est continuel. Il le sait lui-même, s'en accuse, s'en excuse, s'en amuse, et recommence. C'est la marque de la manie psychologique. Vauvenargues a de ce travers; Massillon aussi; Le Sage n'en a pas l'ombre. On voit les pentes différentes. Le roman, de

Le Sage à Marivaux, d'oeuvre de moraliste, devient oeuvre de psychologue, avec les défauts et les qualités aussi que comporte ce genre. Il est fait de l'élude très minutieuse de quelques sentiments, avec beaucoup de réflexions et de considérations; et cela fait un fond un peu dénué, et, pour l'étoffer, l'auteur y ajoute des choses qui ne sont pas de lui, mais de ses voisins: un peu de ce réalisme des vulgarités qui avait commencé à poindre avec Le Sage, et qui devait être vite à la mode en France, où le réalisme n'a le plus souvent été qu'un certain goût de s'encanailler; un peu de sensibilité et de vertu larmoyante; un peu de polissonnerie.

Et voilà, ce me semble, les romans de Marivaux. Ils ont des disparates extraordinaires, et sont, selon les pages, excellents ou assommants. C'est qu'ils ont été écrits comme par deux hommes, l'un psychologue, contemporain de La Rochefoucauld et de Mme de La Fayette, qui est exquis, encore qu'un peu long, l'autre par un homme du XVIIIe siècle qui connaissait le goût du jour et qui expédiait, comme à la tâche, des pages de grivoiseries ou de sensibleries pour aider l'autre. Et il n'y a personne qui ressemble moins au premier que le second, d'où suit dans l'ouvrage commun quelque incohérence.

Trouve-t-on en quelque ouvrage Marivaux à peu près tout seul, et sans collaborateur trop apparent? Oui, et c'est là que nous allons le considérer pour achever de le bien connaître.

III

MARIVAUX DRAMATISTE

Il était né pour le théâtre, et plutôt le théâtre était l'endroit où ses qualités devaient se trouver dans tout leur jour,où ce qui lui manquait n'est point nécessaire, où, enfin, il se pouvait qu'il fût contraint de renoncer à ses défauts, justement parce qu'ils y sont plus graves qu'ailleurs.

Cet art psychologique où il était fin ouvrier, le théâtre en vit; c'est sa ressource propre. Ce ne sont point les grands moralistes qui réussissent à la scène, ce sont les grands psychologues. Ce ne sont point des tableaux très riches et abondants des moeurs humaines que le théâtre peut nous présenter, c'est l'analyse très nette, très diligente et bien conduite, d'une ou deux passions dans chaque pièce, et c'en est assez; c'est l'évolution, bien suivie en ces phases successives, d'un ou de deux sentiments, qu'on saura présenter et opposer d'une manière dramatique. Et tant s'en faut qu'il soit besoin d'une foule de personnages, tous bien saisis, c'est-à-dire d'une multitude de renseignements sur les moeurs des hommes, qu'il ne faut pas même de personnages trop complexes, sous peine de n'être plus clair. Au théâtre l'homme est comme dépouillé de tous les accessoires de son caractère, il est réduit à ses passions dominantes; et puis, en revanche, ces passions sont étudiées dans tout leur détail et étalées dans tout leur développement.

Essayez de mettre Gil Blas au théâtre. Vous vous apercevrez d'abord que tant de personnages si variés, tous si précieux pourtant, deviennent inutiles et gênants, fondent et s'effacent, et que Gil Blas seulement et ses amis intimes peuvent rester, et que Gil Blas prend une importance énorme; et que dès lors, en revanche, lui n'a plus assez de fond, est trop en surface pour les proportions que vous êtes contraint de lui donner; et qu'en fin de compte c'est tout le tableau de moeurs qu'il faut laisser tomber, et un caractère qu'il faut creuser davantage.

Eh bien, Marivaux était à son aise au théâtre précisément parce qu'il savait creuser un caractère, et parce que le grand tableau de moeurs, qu'il n'eût pas su remplir, ne lui était pas demandé là.

Il n'était qu'à demi réaliste, et comme par caprice. Ceci encore, au théâtre, n'était point mauvais. Le théâtre n'admet le réalisme qu'à légères doses, parce que le réalisme est tout fait de menus détails, et que le théâtre procède par grandes lignes. Une scène épisodique réaliste a de la saveur au théâtre; mais les grandes passions éternelles (sous de nouvelles couleurs et regardées d'un nouveau point de vue, tous les cinquante ans), voilà toujours le fond où il ne faut pas tarder à revenir, et où le spectateur vous ramène.

Ses complaisances pour le goût du temps, sensiblerie fade ou manie de libertinage, n'avaient guère leur place sur la scène, où la gauloiserie est bien reçue, mais où l'art de provoquer des mouvements honteux est absolument proscrit; où les sentiments délicats sont bien accueillis, mais où la comédie larmoyante n'avait pas encore pu s'établir en faveur. Si Marivaux avait eu, de son fond, ce goût de pleurnicherie sentimentale, il l'aurait apporté là, comme fit La Chaussée; mais j'ai cru voir qu'il n'est chez lui que ressource d'emprunt pour allonger ses volumes, et aussi n'y a-t-il pas songé en un genre d'ouvrages où la mode ne l'imposait point, et qui, du reste, doivent être courts. Enfin ses défauts, bien personnels ceux-là, d'abstracteur de quintessence et d'explicateur à perte d'haleine, minutieux commentaires, analyses confuses à force d'être multipliées, et galimatias dans la finesse, pouvaient le perdre absolument au théâtre,à moins que le théâtre ne l'en détournât. C'était partie de va-tout. Subsistant, ces défauts eussent été là odieux; mais précisément parce qu'ils devenaient odieux, ils pouvaient, là, lui sembler tels, et le dégoûter, et, à force d'apparaître extrêmes, être amenés à disparaître. Dans une circonstance où une sottise serait énorme, ou bien on la fait, ou bien son énormité vous avertit de ne point la faire. C'est ce dernier qui est arrivé, ou à peu près; car les défauts intimes ne s'abolissent point, mais il arrive qu'ils se contiennent.

Rien ne montre mieux que cet exemple combien le théâtre est une bonne discipline, en ses rigueurs salutaires, pour les hommes de lettres. Le théâtre a ramené les défauts de Marivaux à la mesure de demi-qualités, de dons aimables et un peu suspects, de grâces légèrement inquiétantes. Comme il faut être court au théâtre, ses longueurs se sont restreintes à de simples nonchalances;comme il faut être vif, ses analyses se sont ramassées en traits rapides et pénétrants, et les coups de sonde ont remplacé les longues galeries souterraines;comme il faut être clair, son galimatias est resté dans les honnêtes limites du précieux; et de tout cela s'est formé le marivaudage, dont on n'a jamais su s'il est le plus joli des défauts, ou la plus périlleuse des qualités, ou une bonne grâce qui s'émancipe, ou un mauvais goût qui se modère.

Le théâtre lui était donc un lieu favorable en somme, où ses dons avaient leur emploi, ses lacunes leur excuse, ses mauvais penchants leur correctif; et où il pouvait donner une toute nouvelle, ce qu'il a d'original s'accommodant bien à la scène, et ce qu'il a de commun ne pouvant guère y trouver place.

Aussi ce théâtre de Marivaux est-il d'une qualité rare et précieuse. La première impression en est ravissante. Il est joli d'abord de tout ce qui n'y est point. On sent, au premier regard, un homme qui n'a point de métier (plus tard on s'apercevra que c'est un homme qui a un métier à lui). On ouvre le volume, on parcourt, et c'est une surprise aimable. Quoi! point d'intrigue; point de quiproquo; point d'obstacle extérieur au bonheur des amants, point de circonstance accidentelle qui les sépare, corrigée par une circonstance accidentelle qui les réunit;et point de tuteur barbare, de père terrible, d'oncle sauvage et stupide;et pas davantage de peinture de la société (oh! non!); point de traitants, d'agioteurs, de femmes d'intrigue, de chevaliers d'industrie, de «chevaliers à la mode», de valets flibustiers, de parvenus, de femmes galantes, de dévotes, de directeurs;et point non plus de comédies de caractère: point de pièce qui s'intitule le distrait, l'inconstant, le maniaque, le disputeur, le décisionnaire, le grondeur, le grave, le triste, le gai, le sombre, le morne, l'acariâtre, le tranquille, l'amateur de prunes, et qui nous offre le divertissement de dix lignes de La Bruyère en cinq actes!Quel singulier théâtre! Voilà qui ne ressemble à rien! Mais déjà c'est quelque chose que cela, et l'on en est comme tout reposé et rafraîchi.

On lit de plus près, et l'on s'aperçoit qu'il y a là un genre nouveau, une sorte de comédie romanesque, des ouvrages dramatiques qui sont des «nouvelles», ou bien plutôt, de petits romans traités dans la manière dramatique, du reste avec le moins de procédés dramatiques qu'il se puisse. Cette comédie n'emprunte presque rienayons le courage de dire rien du tout à la vie courante; elle n'a la prétention ni de corriger les moeurs ni de les peindre; elle n'est ni une thèse ni un miroir; elle est faite d'une douce et légère aventure de coeurs entre gens qu'on n'a jamais rencontrés dans la rue. Les critiques qui veulent voir dans ce théâtre la comédie traditionnelle, et y chercher des renseignements sur les hommes du temps, ont le double malheur de n'y trouver rien, et de nous amener, par leurs analyses les plus laborieuses, à cette conclusion, très fausse, qu'il est nul. Les personnages y sont d'un pays qui n'est nullement géographique. Les suivantes sont des dames très bien élevées, et qui ne sont pas seulement spirituelles, qui sont ingénieuses. Et faites bien attention, souvent les grandes dames ont des naïvetés, de petites impatiences, de légers et adorables manques de réflexion ou de tenue qui en font de charmantes grisettes. Il n'y a pas une grande distance, non seulement d'allures, mais même de race, entre maîtres et valets. Au théâtre les acteurs jouent ces rôles chacun selon son «emploi» et rétablissent la différence; mais examinez, et vous verrez qu'elle est factice.Et, pareillement, les mères (le plus souvent) sont aussi jeunes de coeur que leurs filles; les pères dressent des pièges joyeux où se prendront leurs enfants, d'une humeur aussi gaie et alerte que de jeunes valets.Et tout cela est léger, capricieux, aérien, fait de rien, ou d'un rêve bleu, qui nous emmène bien loin, loin des pays qui ont un nom, dans une contrée où l'on n'a jamais posé le pied, et que pourtant nous connaissons tous pour savoir qu'on y a les moeurs les plus douces, les caractères les plus aimables, des imperfections qui sont des grâces, et que c'est un délice d'y habiter.

Autrement dit, cette comédie est ultra-romanesque, et diffère de toutes les autres en ce qu'elle est plus conventionnelle qu'aucune d'elles.Il faut voir. Relisons un peu. Ces gens-là ne sont que des âmes, cela est clair; mais des âmes peuvent avoir une certaine réalité, qui consiste à ressembler aux nôtres tout en étant beaucoup plus belles; elles peuvent avoir une certaine vie qui consiste à aimer, à désirer, à sentir, à se chercher, à se fuir, à se contracter douloureusement dans la tristesse, à s'épanouir délicieusement dans la joie, à hésiter dans l'incertitude, à se mouvoir enfin librement dans l'atmosphère légère et pure qu'elles habitent; et si le moraliste proprement dit, ou pour mieux parler l'historien de moeurs, n'a guère que faire ici, il me semble que le psychologue peut s'y trouver bien.Marivaux n'a pas compris autrement la comédie. Il a considéré des âmes humaines parfaitement en dehors de quelque temps et de quelque lieu que ce fût, mais qui étaient bien des âmes humaines, et qu'il regardait de très près. Il n'est fantaisiste que de première apparence, et parce qu'il supprime à peu près le support matériel et l'habitacle ordinaire des esprits humains; mais avec les ressorts mêmes de ces esprits, il ne badine point; il n'invente pas, il est très informé et très diligent, et il arrive ainsi que ce théâtre, qui contient si peu de réalité, contient plus de vérité que beaucoup d'autres.Il est très libre, très dégagé, très affranchi de toute imitation des choses de la rue ou de la maison; il paraît très imaginaire, et tout à coup on s'aperçoit qu'il est très profond. Figurez-vous qu'on dît à Racine: «Vos Grecs ne sont pas des Grecs. Ils sont du temps d'Homère et ils n'ont rien d'homérique.» Il eût répondu sans doute: «Ce ne sont guère des Français davantage. Ce sont des hommes. J'ai un goût pour l'étude des sentiments humains en eux-mêmes, et ce goût ne s'accommode guère du souci de la couleur des temps et des lieux. S'il me conduit à tracer des développements de passion qui ne soient ni d'un siècle ni d'un autre, mais qui soient vrais, il suffit peut-être.» A un degré inférieur, et dans un autre ordre, Marivaux procède de même. La couleur locale de la comédie, c'est le réalisme. Il n'en a souci, et d'autant plus peut-être, étant connaisseur en choses de l'âme, il nous donne l'impression de la vérité pure. Veut-on voir comment une idée de comédie lui vient en l'esprit, et d'où il part pour en faire une? Allons chercher une comédie qu'il n'a point faite, et dont il n'a jeté sur le papier que la matière:

«J'ai eu autrefois une maîtresse qui était savante. Sa folie était de philosopher sur les passions quand je lui parlais de la mienne. Cela m'impatienta... J'avais remarqué quelle était glorieuse de savoir si bien jaser; je pris le parti de la louer beaucoup et de faire le surpris de sa pénétration. Elle m'en croyait enchanté. Savez-vous ce qui arriva? C'est que pendant qu'elle définissait les passions, je lui en donnai en tapinois une pour moi, que sa vanité lui fit prendre par reconnaissance, et qui m'ennuya à la fin, parce que j'en méprisais l'origine. Elle fut fâchée de la retraite que je fis: mais elle ne perdit pas tout; car, comme elle aimait à philosopher, je lui laissai de la besogne pour cela en me retirant. Elle ne parlait des passions que par théorie. Il n'y avait que son esprit qui les connût, et je les lui avais mises dans le coeur... dès lors je crois qu'elle s'occupa plus à les sentir qu'à les examiner.»

Ceci est une page de l'Indigent philosophe, et ç'aurait pu devenir une comédie de Marivaux. C'est une analyse d'une façon d'aimer. La Rochefoucauld a dit qu'il y a bien des gens qui n'auraient jamais connu l'amour s'ils n'en avaient pas entendu parler, et l'on a dit depuis que parler d'amour c'est déjà le foire. Voilà justement le sujet de cette comédie que Marivaux n'a pas écrite.

La Comtesse, le Marquis, le Chevalier. La Comtesse discute sur l'amour avec une profondeur extraordinaire, en femme qui affecte d'être sûre de ne point le ressentir, quand on cause en théoricien, avec une froide raison, de ces choses, c'est qu'on est bien loin d'aimer... En effet, il n'y a aucun danger, dit le marquis. Mais comme vous en parlez bien! quelle intelligence, quelle finesse, que d'esprit! C'est plaisir de s'entretenir avec une femme supérieure.»

LA COMTESSE.Lisette, je sais trop la vanité de l'amour pour trouver un homme aimable; mais je sais connaître le mérite. Le marquis est fort bien. Voilà un homme qui m'apprécie.

LA COMTESSE.Lisette, le marquis vient moins souvent. Cela est fâcheux. Il a dit la conversation. Il sait les choses. Dans cette campagne, on ne sait avec qui causer. Il me manque...

Ah! vous voilà, marquis! on ne vous voit plus. L'entretien d'une pauvre femme est sans doute languissant...

LE MARQUIS.Non, l'entretien d'une femme supérieure est intimidant. Les femmes qui sentent encouragent, et les femmes qui savent effrayent.

LA COMTESSE.Qui vous dit que savoir empêche de sentir?

LE MARQUIS.Il y est au moins un retardement, ou une distraction.

LA COMTESSE.Ou un acheminement peut-être.

LE MARQUIS.Ce n'est vrai que de celles qui ne savent qu'à moitié. Mais il n'est point de secret pour vous; et connaître le fond de la passion, c'est s'en garantir. Ah! c'est dommage!

LA COMTESSE.Pour qui?

LE MARQUIS.Pour... mettons pour le chevalier qui vous aime, et qui ne vous le dira jamais. Il sait trop bien qu'on n'aime point les philosophes; on les admire.

LA COMTESSE.L'admiration n'est-elle point une forme déguisée de l'amour?

LE MARQUIS.Pas plus que parler amour n'est une façon de le ressentir. À ce compte, vous m'aimeriez infiniment. Vous voyez bien!

LA COMTESSE.Je vois que vous voulez me faire dire que je vous aime!

LE MARQUIS.Vous pourriez le dire; car vous aimez à badiner. Mais ce serait pour faire une étude sur la fatuité des hommes en ma pauvre personne.

LA COMTESSE.Lisette, ce marquis est un sot. Quand je songe que j'étais sur le point de lui dire que je l'aimais, et peut-être de le croire! Il est très borné, avec toutes ses finesses. J'aime les gens plus unis. Ce pauvre chevalier, si simple, doit savoir aimer... Mais il est timide. Si on l'aimait, ne fût-ce que pour punir le marquis, il ne faudrait pas le décourager en l'éblouissant...»

Voilà la méthode de Marivaux. Décomposer un sentiment, en saisir les éléments, démêler les parties dont il se compose, et de ces légers mouvements du coeur, de leur suite, de leurs démarches, de leurs chocs et de leurs conflits faire le drame lui-même avec ses péripéties couvertes, secrètes, intimes, cachées même aux yeux des personnages, et surtout aux leurs.

Il n'y a pas beaucoup de sentiments sur lesquels il soit capable de faire ce travail menu et délicat d'analyse. À vrai dire, il n'y en a qu'un. Les femmes, à l'ordinaire, ne se connaissent bien qu'en amour. Il ressemble aux femmes extrêmement. Sa petite découverte est tout simplement d'avoir introduit l'amour dans la comédie française; et cette petite découverte était une très grande nouveauté,

Je ne crois pas exagérer aucunement. Avant Marivaux il y avait eu des amoureux sur notre théâtre comique; seulement il n'y avait pas eu de peintures de l'amour. L'amour était un des ressorts de toutes les comédies; il n'en était jamais le fond et la matière. L'auteur comique nous présentait une Angélique qui était amoureuse de Valère, et un Valère qui était le soupirant déclaré d'Angélique. Leur amour était chose acquise, fait authentique, antérieur à l'ouverture des débats; et ce qui s'opposait à cette passion, et comment elle finissait par triompher des obstacles, là était la matière de la comédie. Il semblait que l'amour fût un fait tout simple, qu'on ne décompose point, irréductible à l'analyse; qu'on est amoureux ou qu'on ne l'est pas. On nous disait: «Ceux-ci le sont. Ils le seront toujours. Il n'y a pas à y revenir, et nous ne nous en occuperons plus. La comédie part de là, et elle porte sur autre chose.»C'est pour cela que vous voyez tant de titres de comédies qui annoncent des analyses de caractère: Avare, Imposteur, Glorieux, Grondeur; et que vous ne voyez pas une comédie qui s'intitule l'Amoureux; car l'Homme à bonnes fortunes, je n'ai pas besoin de dire que c'est autre chose. À voir de près, on s'aperçoit bien que chez nos comiques l'amour est même à peine un ressort; il est une manière de signalement: il est un moyen d'indiquer au spectateur ceux des personnages auxquels il doit s'intéresser. Comme il est entendu, au théâtre, que c'est les amoureux qui ont raison, à condition qu'ils soient aimés, l'auteur nous dit en commençant: «Amoureux: Angélique et Valère. Vous êtes prévenus que c'est des autres que je vais me moquer. Quant à eux, je ne m'en occuperai qu'au dénouement; et c'est bien naturel, puisqu'il n'y a qu'eux qui ne soient pas comiques.» Mesurez l'importance qu'a l'amour dans toutes nos comédies classiques, et jugez si nos auteurs comiques ont pris autrement les choses. A peine pourrez-vous citer comme sortant de cette règle le Dépit amoureux, qui n'est qu'une comédie d'intrigue, et le Misanthrope, qui est en partie une étude sur une manière comique d'aimer, et en grande partie autre chose. Un ouvrage portant sur l'amour lui-même et ses démarches eût paru moins du domaine de la comédie que du roman.

Marivaux a cru que l'amour n'était pas un fait simple, qui ne pût servir que d'un point de départ. Il a vu qu'il était composé de beaucoup d'éléments divers, qu'il avait ses raisons d'être, et ses développements, et ses marches et contre-marches, son mouvement par conséquent; et, par suite, qu'il pouvait contenir sa comédie en lui-même, sans avoir besoin, pour entrer dans une comédie, d'avoir des obstacles extérieurs à lui.

Il a vu cela parce qu'il était bon psychologue, et surtout parce qu'il avait une admirable psychologie féminine, j'entends une psychologie de la femme comme il semblerait qu'une femme seule pût l'avoir. On est quelquefois étonné de sa pénétration sur ce point. Par exemple, c'était, c'est peut-être encore une banalité que d'estimer que les femmes sont fausses. Marivaux sait parfaitement qu'il n'en est rien. Ce n'est vrai que pour ceux qui ne font que les écouter, et qui s'en tiennent à leurs paroles. À ce compte, on peut, en effet, les accuser quelquefois d'artifice. Mais c'est une injustice véritable. Comment un être qui est tout de sentiment et de passion pourrait-il tromper? Il ne peut que mentir. Précisément parce qu'il a conscience que la vivacité de ses sentiments et son incapacité de réflexion livre à tout venant ses secrets, il essaye peut-être d'abuser par ses discours. Mais ce n'est que la preuve qu'il est et qu'il se sent incapable de tromper autrement.Et, de fait, vous n'avez qu'à ne pas l'écouter: la vérité sort et éclate de tous ses gestes, de tous ses airs, de tous ses regards, de toutes ses attitudes, et se précipite de tout son être. Ce qu'il pense, il vous l'apprend toujours «par une impatience, par une froideur, par une imprudence, par une distraction, en baissant les yeux, en les relevant, en sortant de sa place, en y restant; enfin c'est de la jalousie, du calme, de l'inquiétude, de la joie, du babil, et du silence de toutes les couleurs... Une femme ne veut être ni tendre, ni délicate, ni fâchée, ni bien aise; elle est tout cela sans le savoir, et cela est charmant. Regardez-la quand elle aime et qu'elle ne veut pas le dire. Morbleu! nos tendresses les plus babillardes approchent-elles de l'amour qui perce à travers son silence25?»

Avec cette connaissance qu'il avait des femmes, des sentiments qu'elles éprouvent et de ceux qu'elles inspirent, il avait tout un théâtre tout nouveau dans la tête. La comédie de l'amour, voilà ce qu'il a écrit, et que personne n'avait écrit avant lui. Racine en avait fait le drame, et précisément Marivaux est un Racine à mi-chemin, un Racine qui ne pousse pas le conflit des passions de l'amour jusqu'à leurs conséquences funestes, et qui, par cela, reste auteur comique, un Racine qui n'écrit que le second acte d'Andromaque.

On a dit qu'il n'avait jamais peint que «l'aube de l'amour», que l'amour en ses commencements incertains et indécis, et qui s'ignore encore. C'est que c'est là, et non ailleurs, qu'est la comédie de l'amour. L'amour déclaré, connu de celui qui l'éprouve et de celui à qui il s'adresse, n'est point matière de comédie à lui tout seul. Car de deux choses l'une: ou il est malheureux, et c'est un drame qui commence, ou il est heureux, et il n'y a rien à en tirer du tout. L'amour commençant, au contraire, peut être comique, parce qu'il s'ignore pendant que le spectateur s'en aperçoit; parce qu'il se trompe d'objet; parce qu'il hésite, recule, louvoie, se prend aux pièges des précautions dont il se défend; par tout ce qui s'y mêle de dépit, de honte, de fausse honte, de fierté qui finit par capituler, d'amour-propre qui finit par être confondu, de mille autres choses, et là est le drame gai et divertissant de l'amour.Dans une comédie où l'amour n'est pas un ressort, mais le fond même, c'est le moment où les amoureux s'aperçoivent clairement qu'ils aiment, qui est celui du dénouement, et, au contraire des autres, c'est par la déclaration d'amour que ce genre de drame doit finir. Et c'est ainsi que finissent d'ordinaire les comédies de Marivaux.On conçoit combien cette manière d'entendre la comédie rend le travail de l'auteur difficile. Il doit suivre avec sûreté le travail insaisissable d'un sentiment à peine formé au fond d'un coeur, et le rendre très visible au public, sans qu'il le soit aux personnages. Il doit étudier des passions si indécises encore que ceux qui ont le plus d'intérêt à s'en rendre compte ne s'en doutent point, et que le spectateur qui n'a que l'intérêt de son plaisir doit les voir pleinement et les suivre sans peine. Il doit mettre le public dans la confidence, sans y mettre aucun des acteurs; et dans la confidence, non d'un fait, facile à faire connaître une fois pour toutes, mais des lueurs fugitives d'une passion secrète, des velléités de l'amour. Il y a de la gageure dans cette conception de l'art et le désir malicieux, la prétention piquante de vouloir être compris sans presque rien dire. Marivaux a de la femme jusqu'à la coquetterie.

Il réussit du reste pleinement à ce jeu aimable. C'est que, d'abord, cette science si sûre qu'il faut avoir, en pareil dessein, de la complexion, pour ainsi dire, et de la nature intime de l'amour, il l'a pleinement. Personne, depuis La Rochefoucauld, mais en matière d'amour seulement, n'a su démêler si finement ce qui entre dans la composition d'un sentiment ou d'une passion. De quoi l'amour est fait, dans telle circonstance ou dans telle autre, c'est ce qu'il voit d'abord; ce qui l'amène à prendre peu à peu conscience de lui-même, c'est ce qu'il voit et montre ensuite.Ici, il est fait de dépit amoureux (Surprises): que deux personnes qui ont juré de ne plus aimer se rencontrent et se confient leurs résolutions, il y a de grandes chances qu'elles en arrivent à la sympathie, et de là à l'amour: «Comme celui-ci sait me comprendre!»Là il est fait d'impatience de ce qu'on possède et du désir de ce qu'on vous défend (Double inconstance).Ailleurs il est fait de la honte même d'aimer: «Quoi! l'on me soupçonne d'aimer! J'ai bonne opinion de cet homme! Quelle insolence! écartons cette idée...» Il ne faut pas l'écarter avec violence, parce que la combattre c'est s'en préoccuper, et déjà voilà qu'on aime (Jeu de l'amour et du hasard).Ailleurs il est fait du bonheur naïf d'être aimé, de bonté, de douceur, d'esprit de contradiction aussi, quand tout le monde vous répète que l'objet de votre amour en est indigne, et qu'à force de se dire: «C'est vrai, je serais folle!» on finit par penser: «Serait-ce si fou?» (Fausses confidences.)Tout cela avec une science des nuances, une connaissance de nos petits secrets, qui ne nous accable pas, comme Molière, lequel connaît les grands, mais qui nous surprend et nous inquiète un peu.La Double inconstance est un ouvrage un peu languissant; mais c'est plaisir comme Marivaux a bien marqué chaque inconstance, celle de l'homme et celle de la femme, de son trait véritable et distinctif. Le bon Arlequin est inconstant sans oublier ses premières amours. On sent que le présent n'efface qu'à moitié le passé, que le désir ne fait qu'un peu tort à la gratitude. Au fond il les aime toutes deux, la nouvelle seulement plus vivement que l'ancienne, comme il est juste. Le petit fond de polygamie, instinctif au moins, sinon de fait, qui est dans l'homme, est indiqué, avec mesure du reste, d'une manière très heureuse.Silvia, au contraire, dès qu'elle aime ailleurs, n'aime plus où elle aimait. L'ancien sentiment est ruiné absolument par le nouveau. Elle n'est plus retenue même par un regret; elle ne se sent plus attachée que par le devoir, ce dont il est facile de venir à bout.

Et tout cela, dira-t-on, est bien frêle, bien ténu, et, qui sait? bien superficiel peut-être. Dans ces analyses de l'amour qui s'ignore, ne serait-ce point l'amour vrai que l'auteur oublie, et à force de nous montrer de quels éléments l'amour se compose, amour-propre, dépit, et autres menus suffrages, ne nous le montrerait-il point fait précisément de tout ce qui n'est pas lui?Il y a du vrai dans cette objection; mais il y a aussi beaucoup à dire. Et d'abord nous sommes ici dans la comédie. L'amour qui est parce qu'il est, le coup de foudre de Juliette et de Phèdre, est affaire de tragédie ou de drame. L'amour-goût, pour parler comme Stendhal, qui, fortifié par l'accoutumance, l'estime, les bons rapports, peut aller très loin et peut-être plus loin que l'autre, est essentiellement du domaine de la comédie, parce qu'il est dans les conditions moyennes de l'existence. Et lui seul peut servir à la comédie de l'amour; lui seul est piquant, tandis que l'autre, force simple, est redoutable comme les armées qui marchent en bataille, ainsi qu'il est dit aux Livres saints.Lui seul, par le conflit et le va-et-vient des sentiments dont il se mêle, ou dont il naît, ou qu'il fait naître, car tout cela s'entrelace, et est plaisant pour cette raison même, forme un petit drame à lui tout seul, et c'est le point; et un petit drame divertissant et tendre parce qu'il a pour dénouement, «après beaucoup de mystère», comme dit La Rochefoucauld, l'éclosion de l'amour même.

z ceci encore. S'il est bien vrai qu'un sentiment profond est parce qu'il est, et qu'à le décomposer, on risque tout simplement de passer à côté; il est vrai aussi qu'il est bien rare que nos sentiments aient ce sublime et cet absolu. «Ce que j'aime en vous... disait une dame, qu'a connue Chamfort à celui qui lui plaisait.Arrêtez, répondit le galant; si vous le savez, je suis perdu.» Le galant avait de l'esprit et même de la profondeur; mais il y avait à répondre: «Sans doute, le grand amour romanesque est aveugle, et je n'aime point follement, si j'ai des yeux, même pour voir vos mérites. Mais si ce n'est pas être aimé pour soi-même qu'être aimé pour ses qualités, au moins est-ce être aimé pour quelque chose qui nous touche d'assez près. L'amour mêlé d'estime, par exemple, s'il n'est pas pur, est du moins d'un alliage assez agréable. L'amour, né peut-être du ressentiment contre quelqu'un qui ne vous vaut pas, est tout au moins une préférence. Ainsi de suite; et de tels sentiments on peut encore s'accommoder.»Eh! oui! et c'est de ce train que vont d'ordinaire les choses, et c'est de ce petit manège de l'amour susceptible d'analyse parce qu'il n'est pas absolument pur, et de degré et de gradation parce qu'il n'est pas absolu, que se fait une comédie.

Et encore! Savez-vous bien que La Rochefoucauld a dit que «s'il existe un amour pur et exempt du mélange des autres passions, c'est celui qui est caché au fond du coeur et que nous ignorons nous-mêmes.» Eh bien, c'est cet amour qui s'ignore, précisément, que peint Marivaux, ou, du moins, c'est par lui qu'il commence. Puis il le montre mêlé de ces autres passions dans lesquelles il prend conscience de lui-même, dont il a besoin pour se connaître et en quelque sorte pour revêtir un corps; mais c'est encore de l'amour, et le vrai, celui qui a été longtemps caché au fond du coeur.C'est pour cela que cette comédie de l'amour est divertissante et touchante. Elle est divertissante parce que c'est un malin plaisir, un des plus vifs au théâtre, de voir plus clair dans les sentiments des personnages qu'eux-mêmes, et de savoir mieux qu'eux ce qu'ils vont faire; elle est touchante parce que cet amour qui s'ignore longtemps c'est bien l'amour même, et qu'on s'intéresse à l'amour bien plus quand il a son obstacle en lui, dans son impuissance à se connaître ou à se faire entendre, que quand il se heurte à un obstacle extérieur: on voudrait l'aider à naître. Et quand ces autres passions, dépit, amour-propre, capables de le faire éclater, commencent à poindre, on les aime pour ce qu'elles vont faire; on les donnerait aux personnages pour les exciter un peu: «Sois donc jaloux! Tu vas t'apercevoir que tu aimes!»

Elle est touchante encore, cette comédie de l'amour, parce que l'auteur y a répandu une exquise bonté. C'est notre Térence, un Térence un peu attifé. Ses personnages sont d'une bonté charmante. Il n'y a rien de plus difficile que de mettre la bonté au théâtre, parce qu'elle y prend très vite l'air fade de la sensiblerie. Marivaux se sauve du danger parce que ses bonnes gens ont de l'esprit. On veut ôter Silvia à Arlequin. «Laissez Silvia au prince. Il l'aime. Il sera malheureux s'il ne l'épouse pas.A la vérité, il sera d'abord un peu triste; mais il aura fait le devoir d'un brave homme, et cela console; au lieu que s'il l'épouse, il la fera pleurer; je pleurerai aussi; il n'y aura que lui qui rira, et il n'y a point plaisir à rire tout seul.»Voilà leur manière; ils ont de l'esprit jusqu'au fond du coeur.

Où l'on voit bien et toute la finesse de psychologie de Marivaux, et cette bonté qu'il mêle à toute sa finesse, c'est dans le Legs. Le Legs est une étude d'homme boudeur, grognon, injuste, et qui, pour un peu plus, va devenir insupportable. Il est très aimé. Rien de mieux vu; les hommes de ce genre ont très souvent beaucoup de succès, des succès sérieux et durables. C'est que d'abord l'esprit de contradiction est un de ces éléments de l'amour que Marivaux a si bien démêlés; on met son amour-propre, et Dieu sait à quel degré d'entêtement va l'amour-propre chez une femme, à apprivoiser un ours; c'est une belle victoire,Ensuite c'est que notre boudeur est rébarbatif par timidité, et que la femme qui l'aime s'en est aperçu; mais il fallait plus que la finesse féminine, il fallait de la bonté pour s'en apercevoir.

Tel est le fond de la comédie dans Marivaux. C'est quelque chose de tout nouveau, d'inattendu, de parfaitement original, et de très profond sous les apparences d'un jeu de société. Marivaux, en mettant l'analyse de l'amour dans la comédie, a conquis à la comédie des terres nouvelles. Il a tracé des chemins. Ce sont petits chemins, je le sais bien, «il connaît tous les sentiers du coeur et il en ignore la grande route»; Voltaire a raison; mais on pouvait répondre: «Là où personne n'est allé, il n'y a pas même de sentiers.»

La manière dont il dispose ses légères fictions dramatiques est bien intéressante à suivre de près. Il n'y a chez lui aucun art de «composition», j'entends de composition factice, il n'y a pas l'ombre de «métier». Cela tient d'abord à ce qu'il n'en a point, et ensuite à ce qu'il n'en a pas besoin. Son petit drame n'est pas composé de faits matériels qu'il faudrait distribuer en un certain ordre pour en faire une suite enchaînée et logique aboutissant à une conclusion contenue dans les prémisses: il est composé de faits moraux se succédant d'eux-mêmes, sans la moindre circonstance extérieure qui les suscite ou les pousse.En pareil cas l'art de la composition se confond avec l'art même de lire dans les coeurs, et le drame n'a pas d'autre marche que le progrès même des sentiments. L'intrigue n'est point nécessaire là où le mouvement dramatique est intime en quelque sorte et vient de l'évolution même des mouvements du coeur. L'intrigue est la part d'invention proprement dite que l'auteur apporte dans le drame. A qui voit parfaitement la succession des sentiments dans les âmes, inventer n'est point nécessaire; voir suffit. Celui-ci restreindra tout naturellement son invention à trouver une situation, et, la situation trouvée, laissera ses personnages aller tout seuls. Ce sera même une tendance commune à tous les grands psychologues au théâtre de réduire l'intrigue à rien. Racine glisse, d'un penchant naturel, à Bérénice; et quand il a trouvé ce chef-d'oeuvre de la suppression de l'intrigue, et qu'on lui reproche de n'avoir pas d'invention, il répond: «Précisément! J'ai l'invention par excellence. L'invention consiste à créer quelque chose de rien.»

A la vérité, dans un grand drame, une situation et l'évolution naturelle des sentiments qu'elle a mis en présence ne suffit pas. Les sentiments, d'eux-mêmes, ont un mouvement trop lent, et restent trop longtemps pareils à ce qu'ils sont d'abord pour qu'il ne soit pas nécessaire que quelques circonstances habilement ménagées les renouvellent, les pressent, et les fassent comme tourner pour présenter leurs divers aspects. Pour que nous ne voyions point Phèdre toujours pleurer et mourir, il faut que Thésée soit cru mort, puis que Thésée revienne, puis que les amours d'Aricie soient connus de Phèdre, et c'est là l'intrigue, que, nonobstant ses dédains, Racine est passé maître à disposer. D'un psychologue pur psychologue, comme Marivaux, on peut donc dire et qu'il n'a pas besoin d'intrigue et que l'intrigue est sa borne. Autrement dit, il sera à l'aise dans les ouvrages de courte étendue où l'intrigue lui est inutile, et il ne pourra aborder les oeuvres de longue haleine où le secours de l'intrigue lui serait indispensable.

C'est ce qui est arrivé à Marivaux. Ses chefs-d'oeuvre sont de petites pièces qui sont des drames en raccourci. Du drame ils ont l'essence, qui est la vie morale, ils ont le mouvement et la distribution aisée du mouvement. Ils n'ont pas l'ampleur et la variété, parce qu'ils n'ont pas l'invention des incidents, des incidents chose vile en soi, simples machines, mais machines qui servent, l'évolution d'un sentiment étant accomplie, à en faire paraître un autre, lequel, à son tour, fait son chemin, marque son trait, et complète la peinture du caractère.

De là le seul défaut sérieux des petits drames de Marivaux: ils ont une certaine uniformité, et ils sont un peu prévus. Ils ne nous trompent point; nous savons un peu trop où ils vont. Rien n'est sot, dans le théâtre aussi bien que dans le roman, comme l'inattendu qui n'est qu'un caprice de l'auteur; mais l'inattendu naturel, l'inattendu dont on se dit après coup qu'on s'y devait attendre, savoir donner cet inattendu-là, c'est connaître le fond des choses; et savoir ne pas le montrer tout d'abord, c'est avoir des réserves de renseignements psychologiques et être habile à les dissimuler, c'est la science ménagée par l'art.

Dira-t-on aussi qu'une certaine indigence (très relative, et qu'on ne peut qualifier ainsi que quand on songe aux grands maîtres du théâtre), qu'une certaine indigence de fond se marque dans le raffinement même de ces sentiments si déliés? Ces gens qui ont des commencements de passion si impalpables, des lueurs d'émotion si fugitives, des aubes d'amour si délicieusement indistinctes, ils sont soupçonnés d'être ainsi pour être agréables à l'auteur; ils mettent un peu de bonne volonté à se comprendre si tard; c'est peut-être avec complaisance qu'ils passent si lentement du crépuscule de l'inconscient à la lumière de la conscience. On est tenté de leur dire, quand ils s'aperçoivent qu'ils aiment ou qu'ils n'aiment plus: «Ne vous en doutiez-vous pas un peu depuis quelque temps?»

Et ils répondraient: «Peut-être; et peut-être aussi n'est-ce point pour le profit de l'auteur, mais pour notre plaisir, et point pour votre amusement, mais pour le nôtre, que nous ne nous pressions point d'aboutir, et n'avions point hâte d'éclore. C'est un grand délice que de ne point savoir où l'on en est en pareille chose, et le chatouillement que des raffinés plus vulgaires que nous éprouvent à ne pas dire tout de suite qu'ils aiment, nous le sentons, nous, à ne pas même le penser, et à ne pas trop le sentir.»

Car ce sont de fins artistes en sensations suaves et légères, et il n'y eut jamais hommes aussi habiles qu'eux à manier leur coeur comme un instrument de musique très délicat, très susceptible et infiniment compliqué.

IV

Marivaux, qui méritait d'être commensal de M. de La Rochefoucauld et ami de Mme de La Fayette, et qui, du reste, eût causé finement avec Joubert ou avec Henri Heine, est un peu déplacé au XVIIIe siècle.Il en tient, certes, et il a des parties de La Motte, et des parties de Crébillon fils; mais son pays d'origine est ailleurs. Il est psychologue en un temps où la psychologie est infiniment courte et pauvre. Il est fin et délié en un temps où ce n'est pas exagérer que de dire que tout le monde a vu un peu gros en toute chose. Malgré son Jacob, il a la connaissance, le sentiment et le goût de l'amour très délicat, très pur, très timide et un peu inquiet de lui-même, en un temps où l'amour est, à l'ordinaire, une grossièreté exprimée en tours spirituels.Il est un de ces hommes du XVIIe siècle que le XIXe siècle comprend et prend plaisir à comprendre. Placé entre les deux par la destinée, il n'a pas réussi pleinement. Il lui fallait l'un ou l'autre, non seulement pour que son mérite fût estimé, mais pour qu'il remplit tout son mérite. En l'un ou en l'autre, il eût été plus goûté, et même il fût devenu plus digne de l'être. Il eût fait des romans moins gros, et où certaines banalités de sensiblerie ou de libertinage n'eussent point trouvé place. Il eût, au théâtre, fait ce qu'il a fait, mis l'amour dans la comédie, ce qui avait à peine été essayé jusqu'à lui, et le public, un peu guidé par Racine ou par Musset, s'en fût aperçu davantage.Tel qu'il est, il n'est pas grand, mais il est considérable, parce qu'il a inventé quelque chose dont on ne s'était point avisé, et qu'il est assez difficile même d'imiter. Il est le plus original de nos auteurs comiques depuis Molière jusqu'à Beaumarchais et peut-être au delà. Il fait beaucoup songer à Racine, à un Racine qui aurait passé par l'école de Fontenelle. Il a beaucoup bavardé, un peu coqueté, et dit deux ou trois choses exquises, qui, quand on y regarde d'un peu près, se trouvent être des choses profondes.La conversation des femmes a de ces surprises; et c'est pour cela que la postérité s'est engouée, sans avoir lieu d'en rougir, de cette coquette, de cette caillette, de cette petite baronne de Marivaux, qui en savait bien long sur certaines choses, sans en avoir l'air.

MONTESQUIEU

La plupart des études qui ont été publiées sur Montesquieu ont un caractère commun: elles sont comme fragmentaires. On y voit un côté du grand publiciste, puis un autre, et il semble que cet autre n'a aucun rapport avec le premier. Ce n'est point de la faute des commentateurs; et si je fais de même, comme je ferai certainement, peut-être ne sera-ce qu'à moitié de la mienne. C'est que Montesquieu lui-même, sans être précisément ni mobile, ni fuyant, à la façon d'un Montaigne, a comme un caractère d'ubiquité. Il y a dans sa complexion plusieurs hommes, qui ne font pas société très étroite, et dans son esprit plusieurs systèmes, qui se rencontrent quelquefois, mais qu'il ne s'est pas donné la peine, ou qu'il n'a pas eu le souci, de lier. Il est complexe sans être enchaîné. Il est partout; et la continuité, l'embrassement, la vaste étreinte lui manquent pour être, ou pour paraître, universel.

Il y a en lui un ancien, un homme de son temps, un homme du notre, un homme des temps à venir, un conservateur, un aristocrate, un démocrate, un philosophe naturaliste, un philosophe rationaliste, autre chose encore; et tout cela non point confus et fumeux, comme chez d'autres, admirablement clair et lumineux au contraire, mais à l'état d'étoiles brillantes, point coordonné par quelque chose qui ramasse, ou, seulement qui nous guide. C'est un monde immense et brillant où manque une loi de gravitation.

Il faudrait, pour l'exposer sous forme de système, avoir plus de génie qu'il n'en a eu, ce qui est peut-être difficile; ou plutôt faire entrer ces diverses conceptions dans un système plus étroit que chacune d'elles, ce qui serait le trahir.Peut-être ce qu'il y a de mieux à faire est de le décrire par parties, patiemment et fidèlement, quitte ensuite à indiquer, à nos risques, non point la pensée qui nous semblera envelopper toutes ses penséesil n'y en a point d'assez vaste, et s'il y en avait une, il l'aurait eue,mais les tendances plus accusées parmi ses tendances; les idées qui, chez un homme qui les a eues toutes, ont au moins pour elles qu'elles lui sont plus chères; la doctrine, qui, sans être plus, à le bien prendre, qu'une de ses doctrines, semble du moins celle où il préférerait vivre si elle devenait une réalité.

I

MONTESQUIEU JEUNE

Je vois d'abord dans Montesquieu l'homme de son temps, d'un temps très spirituel, très curieux; très intelligent, très frivole, et qui semble, dans tous les sens de ce mot, ne tenir à rien. Ce monde n'a plus d'assiette. C'est pour cela qu'il est si amusant. Il semble danser. Il ne s'appuie à quoi que ce soit. Il a perdu ses bases, qui étaient religion, morale, et patriotisme sous forme de dévouement à une royauté patriote; qui étaient encore, à un moindre degré, enthousiasme littéraire, amour du beau, conscience d'artistes. Il a perdu une certitude, et il ne s'en est point fait encore une nouvelle, pas même celle qui consiste à croire que, s'il n'y en a pas encore, il y eu aura une un jour, certitude sous forme d'espérance qui sera celle du XVIIIe siècle, et au delà.En attendant, ou plutôt sans rien attendre, il s'amuse de lui-même, se décrit dans de jolis romans satiriques, dans des comédies sans profondeur et sans portée, et s'occupe, sans s'en inquiéter, de sciences, ou plutôt de curiosités scientifiques. Avec cela, frondeur, parce qu'il est frivole, et très irrespectueux des autres, comme de lui-même; se moquant de l'antiquité autant au moins que du christianisme, et un peu pour les mêmes raisons, l'antiquité étant une des religions du siècle qui le précède; mettant en question l'art lui-même, et très dédaigneux de la poésie, comme de tout ce dont il a perdu le sens; sceptique, fin curieux, un peu médiocre et un peu impertinent.

Montesquieu, dans sa jeunesse, est l'homme de ce temps-là, el il lui en restera toujours quelque chose (comme aussi dès sa jeunesse, il ne tient pas tout entier dans ce caractère). Au premier regard on dirait un Fontenelle. Il est sec, malin, curieux et précieux. Il n'a ni conviction forte, ni sensibilité profonde. Il est homme du monde aimable, et même charmant, «la galanterie même auprès des femmes», dit un contemporain; mais sans attachement durable ni profonde émotion; «Je me suis attaché dans ma jeunesse à des femmes que j'ai cru qui m'aimaient. Dès que j'ai cessé de le croire, je m'en suis détaché soudain26». Il a l'âme la moins religieuse qui soit. Les athées sont plus religieux que lui; car l'athéisme est souvent haine de Dieu, et la haine est une forme de la crainte, un signe de la croyance, en tout cas une préoccupation à l'endroit de l'objet haï. Montesquieu ne songe pas à Dieu. Il n'en parlera guère qu'une fois dans sa vie, et en pur rationaliste, non comme d'un être, mais comme d'une loi, comme d'une formule. Il ne le sent aucunement.
Il n'est pas chrétien. Les Persanes sont avant tout un pamphlet contre le christianisme, non plus à la Fontenelle, indirect et voilé, mais acéré et rude, à la Voltaire: «Il y a un autre magicien plus fort... c'est le Pape: tantôt il fait croire que trois ne sont qu'un; que le pain qu'on mange n'est pas du pain, ou que le vin qu'on boit n'est pas du vin; et mille autres choses de cette espèce.» Voilà le ton général des Lettres qui touchent aux choses de religion, et elles sont nombreuses. Plus tard le ton sera tout différent, mais non la

pensée. En cela, comme en toutes choses, remarquons-le bien tout d'abord, des Persanes aux Lois, Montesquieu a changé de caractère, il n'a pas changé d'esprit, et il n'y a de différence que du ton plaisant au ton grave. Il pourra ne plus traiter légèrement le christianisme, il pourra le considérer comme une force sociale, et non plus comme un objet de railleries; mais il n'en aura jamais la pleine intelligence, et moins encore le sentiment.

Il est de son temps encore par l'inintelligence du grand art. Il méprise les poètes, épiques, lyriques, élégiaques, pêle-mêle, surtout les lyriques27, ne faisant grâce qu'aux poètes dramatiques, ces «maîtres des passions» parce que nos poètes dramatiques sont surtout des moralistes et des orateurs.Les quatre plus grands poètes sont pour lui Platon, Malebranche, Montaigne et Shaftesbury, opinion où il y a du vrai, et beaucoup d'inattendu. Il faut entendre sans doute que les plus grands poètes, à ses yeux, sont les philosophes, les créateurs et évocateurs d'idées. Mais il n'a que des mépris pour «l'harmonieuse extravagance» des lyriques, pour «ces espèces de poètes» qu'on appelle les romanciers «qui outrent le langage de l'esprit et celui du coeur», pour tous ces hommes dont «le métier est de mettre des entraves au bon sens, et d'accabler la raison sous les agréments». On sent là l'homme de raison froide qui n'aura de passion que pour les idées. Quoi qu'il en soit de Montaigne et de Shaftesbury, et même de Racine, ce maître des idées n'a pas aimé les «maîtres des passions»; cet homme qui a vu si peu de sentiments dans le monde n'a pas aimé ceux qui en vivent et qui les peignent.

: (retour) Persanes, lettre CXXXVII.

Il y a une preuve indirecte, et comme à rebours, de ce peu de goût de Montesquieu pour les choses d'art. Le paradoxe de Rousseau sur les effets funestes des arts et des lettres parmi les hommes, il l'a fait d'avance, et, d'avance aussi, réfuté; et c'est sa réfutation même qui montre qu'il ne les aime point d'une vraie tendresse28. Elle est d'un économiste, et non pas d'un artiste. A quoi bon ces découvertes, demande Rhédi, dont les suites salutaires ont toujours leur compensation, et au delà, dans des malheurs, inconnus avant elles, qu'elles versent sur l'humanité?Usbeck va-t-il répondre par les arguments de Goethe: Qu'importe? plus de vérité, plus de lumière, plus d'horizon, plus d'espace; épuisons toute la faculté humaine, pour remplir toute l'idée de l'homme?Non, mais par les arguments du Mondain et par «l'homme à quatre pattes» de Voltaire: Les arts engendrent le luxe, qui alimente le travail des hommes. La toilette d'une mondaine occupe mille ouvriers, et voilà l'argent qui circule, et la progression des revenus. Cela ne vaut-il pas mieux que d'être un de ces peuples barbares «où un singe pourrait vivre avec honneur, passerait tout comme un autre, et serait même distingué par sa gentillesse?»Il est possible; mais de l'art pour l'art, c'est-à-dire de l'art pour le beau, pas un mot dans les raisonnements d'Usbeck.

De son temps, il en est encore par un certain souci de choses scientifiques, et, comme disait Fontenelle, de philosophie expérimentale. «Le philosophe épuise sa vie à étudier les hommes...», disait La Bruyère. Le philosophe de épuise ses yeux à disséquer un insecte. Ce n'est point du tout que je l'en blâme, ni le tienne pour inférieur à l'autre. J'indique le nouveau sens du mot, et, du même coup, le nouveau tour des idées. Montesquieu dissèque donc, et observe, et use du microscope, et fait des rapports à l'Académie de Bordeaux sur ses études d'histoire naturelle. Est-il en route, lui aussi, pour l'Académie des sciences? Non. Il est seulement de sa génération, et c'est un point à ne pas oublier que le premier des grands philosophes du XVIIIe siècle a, lui aussi, le signe qui leur est commun, la marque encyclopédique, la curiosité des choses de sciences, l'idée plus ou moins arrêtée que là est la clef d'un monde nouveau.

Mais l'esprit de sa génération, il le montre surtout dans la manière dont il observe les hommes, et dont il les peint. Ces Lettres Persanes sont significatives. Voltaire a raison, cela est «facile à faire», j'entends pour un homme comme Voltaire. Sauf quelques-unes, dont nous reparlerons, il est bien vrai qu'il n'y fallait que beaucoup d'esprit. Elles sont d'une frivolité charmante. En voulez-vous une preuve qui saute aux yeux? Elles font paraître La Bruyère profond. Oui, veut-on, de parti pris, trouver La Bruyère, non seulement très sérieux, très convaincu et très pénétrant, ce qu'il est, mais grand philosophe, donnant le dernier mot de la misère humaine et encore d'une sensibilité déchirante, et d'une imposante grandeur? Veut-on faire de La Bruyère un Pascal? Il n'y a qu'à commencer par les Lettres Persanes.

Du reste, elles sont charmantes. Un tour vif, une allure cavalière, un sourire qui mord, un clin d'oeil qui perce, un geste rapide qui trace toute une silhouette. De petits chefs-d'oeuvre de style sec, net et cassant, infiniment difficile à attraper, du moins à un pareil degré d'aisance. Mais comme observations, des observations de journaliste. Que voyons-nous passer dans ces pages si vives? Un nouvelliste, un inventeur de pierre philosophale, une coquette, un pédant, un petit-maître, un directeur...C'est quelque chose!Eh! non! pas même cela, le front plissé d'un nouvelliste, l'effarement d'un inventeur, l'attifement d'une coquette, le geste fat d'un petit-maître, le dos arrondi d'un directeur. Ce sont des croquis, des crayons rapides d'actualités bien saisies au vol. Dans La Bruyère il y a, comme dit Voltaire, «des choses qui sont de tous les temps et de tous les lieux»; c'est-à-dire que, ne peignant que ce qu'il voyait, La Bruyère a pénétré assez avant pour trouver le fond commun, la nature humaine permanente, et pour nous la montrer dans une vive lumière. Montesquieu se tient au dehors. Un geste caractéristique ne lui échappe point; l'homme lui échappe.

Je ne voudrais pas lui reprocher de n'avoir pas été pédant; mais enfin sur l'homme, révélé par une époque aussi singulière que la Régence, il me semble bien qu'il y avait quelque chose de plus intime à surprendre et à nous dire. Le siècle sera ainsi, bon peintre satirique, faible moraliste, ayant de bons yeux, et très aigus, mais ne voyant bien que les choses du moment, actualiste, et incapable de soutenir l'observation au jour le jour de la science pleine et solide de l'homme éternel. Une partie de sa faiblesse, une partie aussi de son charme tiendra à cela.

Et voyez encore comme Montesquieu, en ces années de jeunesse, est homme de sa date par d'autres penchants, que je ne relève que parce qu'il lui en restera toujours quelque chose. Il a du libertinage dans l'imagination et de la préciosité dans le style. Nous sommes au temps des salons littéraires et scientifiques.» Faites bien attention à l'époque de Catulle, disait méchamment Mérimée à une de ses correspondantes. C'est l'époque où les femmes ont commencé à faire faire des bêtises aux hommes.» Le commencement du XVIIIe siècle est l'époque où les salons commencent à faire dire des sottises aux écrivains. Tout homme de lettres a dans son coeur un Trissotin qui sommeille, ou tout au moins un Cydias qui germe. Être lu des femmes du monde qui se piquent de lettres est chez les auteurs une forme du désir d'être aimé, parce qu'ils sentent que chez les femmes l'admiration littéraire est une forme vague de l'amour. Selon les temps cette démangeaison les mène à être libertins, cavaliers ou mystiques, et parfois le tout ensemble. Au temps de Fontenelle et de Montesquieu, elle les poussait à un libertinage précieux, à un mélange de mignardise et de grossièreté, à une gauloiserie coquette, qui tient du courtisan et aussi de la courtisane, et qui est la pire des gauloiseries et des coquetteries.

Même avant le Temple de Gnide, Montesquieu donne un peu dans ce travers. Il y donne plus que Fontenelle. Dans la Pluralité des Mondes il n'y avait qu'une marquise; dans les Persanes, il paraît que ce n'est pas trop de tout un sérail. Dans les Mondes on voyait un savant s'excusant de tracer des figures de géométrie sur le sable d'un parc où il ne devrait y avoir que chiffres entrelacés sur l'écorce des arbres. Dans les Persanes, nous aurons des histoires de harem et les mémoires d'un eunuque. Cela est plus désobligeant qu'on ne saurait dire. Toute une lettre (la CXLIe), voluptueuse de sang froid, avec ses grâces maniérées, semble être écrite par un vieillard. Ce qui est grave, c'est que c'est un jeune homme, et de génie, qui en est l'auteur.

Je ne sais quel air de corruption élégante commence à se répandre dès les premières années de ce siècle. Nous verrons pire, mais non point différent. La marque du siècle apparaît, une certaine impudeur froide et raffinée, qui ne se fait point excuser par sa naïveté, qui n'a point le rire large et franc, mais le sourire oblique, qui ne brave pas le scandale, qui le sollicite, et qui fait qu'on estime Rabelais, et qu'on le regrette.

Tel était Montesquieu... Nullement, tel était un des hommes que Montesquieu, déjà très complexe, portait en lui, et promenait dans le monde. A la vérité, en , il faisait surtout les honneurs de celui-là.

II

MONTESQUIEU AMATEUR DE L'ANTIQUITÉ

Il en avait d'autres comme en réserve. Et d'abord un homme extraordinaire pour cette date, un homme qui n'était point du tout de son temps, et qui semblait appartenir à l'époque précédente, un adorateur de l'antiquité. «Ils adoraient les anciens», dit La Fontaine de la petite école littéraire de . «J'adore les anciens... cette antiquité m'enchante...», dit Montesquieu. D'un coup nous voilà bien loin de Fontenelle. Montesquieu dépasse la Régence. Sous le sceptique aimable et léger, curieux d'observation mondaine, d'histoire naturelle, de peintures scabreuses et de malices irréligieuses, il y a un homme qui est attiré vers quelque chose de solide et de grave. Du mépris que les hommes de son temps affectent pour tout ce qui est antique, christianisme et civilisation ancienne, Montesquieu ne prend pour lui que la moitié. Il n'est pas tout entier un homme à la mode.

Entendons-nous bien cependant. Ce qu'aime Montesquieu dans l'antiquité, ce n'est pas précisément ce que l'antiquité a de plus grand; ce n'est pas l'art antique. A-t-il lu Homère? Je n'en sais rien. Le sentirait-il? Je le crois; mais je ne réponds de rien. Ce qui «l'enchante», ce n'est pas ce que l'antiquité a d'enchanteur, c'est ce qu'elle a d'imposant. Il aime le grand, lui, homme de , contemporain de Le Sage et de Massillon, marque singulière d'une forte originalité, qui le sauvera. Il aime l'histoire grecque et surtout l'histoire romaine. Il aime Tite-Live et Tacite. Le développement d'un grand peuple, fort par ses vertus, sa patience et son courage, les grands consuls, les durs tribuns, les censeurs rigides, et ce Sénat, qui, vu d'un peu loin, semble un seul homme, une seule pensée traversant les âges, toute pleine d'une force inébranlable et d'un dessein éternel, voilà ce qui le ravit. Il a le sens et le goût de l'éternité. Un grand monument fondé sur une grande force, l'empire romain établi sur la vertu romaine, le Capitole éclatant rivé à son rocher indéracinable, cela plaît à ce méridional, à ce gallo-romain, à ce juriste, né en terre latine, au pays des Ausone et des Girondins.

Il y a une antiquité d'une certaine espèce, non point fausse, mêlée seulement d'un peu de convention, et vraie d'une vérité dramatique et oratoire, une antiquité faite de la naïveté de Plutarque, de la noblesse de Tite-Live, et des regrets de Tacite, et des colères de Juvénal, et des grands airs des Stoïciens, qui met dans l'esprit des lettrés un idéal excellent et précieux de vertu austère, de simplicité hautaine, de frugalité un peu fastueuse, d'énergie et de constance infatigable; qui, par l'image répétée qu'elle place sous nos yeux du désintéressement en vue d'une fin supérieure, tend à devenir une manière de religion. Les Français ont été très sensibles à cet ascendant. Bossuet, si bien défendu par une autre religion, a senti celle-là, assez pour la comprendre. Montesquieu en est très pénétré, en un temps où on l'a complètement mise en oubli. Est-il arriéré, est-il précurseur? Il est, en cela, l'un et l'autre. Ce culte fait partie de notre patrimoine classique. Il est parmi nos sacra. Notre XVIe siècle l'a mis en honneur, notre XVIIe siècle l'a soutenu. Au commencement du XVIIIe on en perdait le sens; mais vers la fin de ce même siècle il revivait avec une force singulière, avait son contrecoup, et ridicule, et terrible aussi, sur les moeurs et sur l'histoire. Montesquieu, en , gardait, comme une superstition domestique, ce qui avait été un culte national et devait devenir un fanatisme.

III

SON GOUT POUR LES RÉCITS DE VOYAGES

Ajoutez un nouveau personnage, un Montesquieu qui ressemble à Montaigne, qui est curieux de moeurs singulières, de coutumes locales, de relations de voyage, et de voyages. Il lit Chardin de très bonne heure, avec passion, avec une grande application de réflexion aussi; car si les Persanes en sont sorties, une partie de l'Esprit des Lois y a sa source. Il est original par ce côté encore. De son temps on est curieux de sciences, comme aussi bien il l'est lui-même; on ne l'est point d'exotisme. Au XVIe siècle les savants voyageaient beaucoup, mais surtout pour courir à la recherche de manuscrits précieux et de savants. Au XVIIe siècle, les Français voyagent moins: la France est si grande, son influence est si loin répandue! C'est à elle qu'on vient. Au XVIIIe siècle on voyagera moins encore. La grande illusion des philosophes de ce temps a été de croire que Paris pensait pour le monde. L'idée de légiférer à Paris pour l'humanité toute entière en devait sortir.

Montesquieu s'est infiniment inquiété des différentes manières qu'on avait de penser et de sentir au delà des Pyrénées et des Alpes. Il a voyagé d'abord, et avec soin, dans les livres. Chardin; Lettres édifiantes et curieuses des missions étrangères; Description des Indes occidentales de Thomas Gage; Recueil des voyages qui ont servi à l'établissement de la Compagnie des Indes, etc., voilà ses excursions de bibliothèque.Il a poussé plus loin. Il a voulu se donner le sens de l'étranger, non plus la science par ouï-dire de ce qui se passe loin de nous, mais le tour d'esprit qu'on se donne à vivre en dehors de la sphère natale, cette souplesse particulière d'intelligence que la transplantation donne aux esprits vigoureux, comme, du reste, elle râpe et use les esprits vulgaires. Il visita l'Angleterre, l'Allemagne, la Hongrie, l'Autriche, Venise, l'Italie, la Suisse, la Hollande, curieux, attentif, lisant, regardant, écoutant, conversant avec les hommes les plus célèbres de toute l'Europe.

Voyage tout intellectuel, remarquez-le, tout de savant, de moraliste, d'économiste et d'homme d'État, où le méditatif n'est nullement diverti par l'artiste, où la réflexion n'est nullement interrompue par le spectacle d'un monument ou d'un paysage; car Montesquieu n'est pas artiste, n'a de pittoresque, ni dans l'esprit ni, presque, dans le style. Son génie s'est agrandi ainsi, et enrichi, je ne dirai pas fortifié. Sans ce goût de l'exotisme, Montesquieu fût resté enfermé dans sa vision, haute et puissante, de l'antiquité héroïque; et son esprit, resté plus étroit, eût probablement semblé plus fort. C'est de la Grandeur et décadence que fût sorti l'Esprit des Lois; et, son beau rêve antique, il l'eût ordonné en un système. Le Montesquieu voyageur a contribué à nous faire un Montesquieu plus instructif, de plus de portée, de fonds plus riche; moins imposant et moins maîtrisant.

IV

IDÉES GÉNÉRALES DE MONTESQUIEU

En effet, à mesure que l'esprit critique s'aiguisait en Montesquieu par ce soin de chercher tant d'aspects divers des choses, la force systématique s'affaiblissait d'autant, et de même qu'il y a en Montesquieu plusieurs hommes, de même il y a aussi plusieurs pensées dominantes. Ce que, sans doute, il ne sera jamais, nous le savons: ni idéaliste, ni religieux, ni porté au mystérieux, ni très sensible à la beauté. C'est un philosophe. Mais que de personnages encore il peut prendre, et que de chemins ouverts! Philosophe expérimental, comme dit Fontenelle, positiviste, il peut l'être. Il l'est déjà, de très bonne heure. Je vois dans les Lettres Persanes29 telle théorie sur les peuples protestants et les peuples catholiques, qui est toute positive, tout appuyée sur de simples faits, qui ne veut tenir compte que des réalités palpables et tombant sous la statistique: tant d'enfants ici, tant de célibataires là, terres labourées, terres en friches, rendement des impôts. Le sociologue positif apparaît.Le voici encore, plus accusé (lettre CXXXI). Une sorte de fatalisme scientifique semble s'emparer de son esprit. L'action inévitable du climat sur les hommes une première fois se présente à sa pensée: «Il semble que la liberté soit faite pour le génie des peuples d'Europe, et la servitude pour celui des peuples d'Asie. Rappelez vous les Romains offrant la liberté à la Cappadoce, et la Cappadoce ne sachant qu'en faire» Soit; nous allons avoir un politique naturaliste comprenant et expliquant les développements des nations, les grands mouvements des peuples, les accroissements et les décadences, les conquêtes, les soumissions, par d'énormes et éternelles causes naturelles pesant sur les hommes et les poussant sur la surface de la terre comme les gouttes d'eau d'une grande marée; et cela, dans un autre genre, et comme en contre-partie, sera aussi beau, si le génie s'en mêle, que ce «Discours» immortel où nous voyions naguère empires et peuples menés d'en haut, par une invisible main, à travers des révolutions qu'ils ne comprennent pas, vers une fin mystérieuse.

Eh bien, non! Montesquieu ne sera pas un pur fataliste. Rappelez-vous l'adorateur de l'antiquité, l'homme qui admire chez le Romain deux forces personnelles, individuelles, supposant et prouvant la liberté humaine, haute raison et pure vertu, puissances parlant d'elles-mêmes, ressorts sans appui, causes en soi, qui façonnent et dressent un peuple, soumettent et organisent un monde. Voilà un autre homme, qui s'appelle encore Montesquieu, un rationaliste, un philosophe qui croit que la raison humaine est la reine de cette terre, qu'un grand dessein est une cause, qu'une grande intelligence a des effets dans l'histoire, qu'une loi bien faite peut faire une époque. N'en doutez point, il le croit. C'est peut-être même ce qu'il croit le plus. Les sociétés, qui lui apparaissaient tout à l'heure comme les combinaisons de forces naturelles et aveugles, se présentent à ses yeux maintenant comme des systèmes d'idées. Des principes deviennent féconds:

«L'amour de la liberté, la haine des rois conserva longtemps la Grèce dans l'indépendance et étendit au loin le gouvernement républicain30.» Une loi n'est pas un fait qui se répète, c'est une idée juste. L'idée est au-dessus des faits. Elle est, malgré eux et par elle-même. «La justice est éternelle et ne dépend point des conventions humaines.» Elle oblige les hommes de par soi, et ils doivent se défendre de croire qu'elle résulte de leurs contrats. Si elle en dépendait, ce serait une vérité terrible qu'il faudrait se dérober à soi-même.» Elle oblige Dieu. «S'il y a un Dieu, il faut nécessairement qu'il soit juste... il n'est pas possible que Dieu fasse jamais rien d'injuste. Dès qu'on suppose qu'il voit la justice il tant nécessairement qu'il la suive...»

Voilà comme un nouveau fatalisme, un fatalisme rationnel qui s'impose à la pensée de Montesquieu et qu'il impose à la nôtre. «Libres que nous serions du joug de la religion, nous ne devrions pas l'être de celui de l'équité.» Supposons que Dieu n'existe pas, l'idée de justice existe, et nous devrons l'aimer, faire nos efforts pour ressembler à un être hypothétique supérieur à nous, «qui, s'il existait, serait nécessairement juste». Qu'est-ce à dire, sinon que voilà Montesquieu rationaliste pur, mettant la plus haute pensée humaine (car il y en a une plus élevée, qui est la charité; mais c'est un sentiment) au centre et au sommet du monde, comme une force indépendante des fois naturelles, créant puisqu'elle oblige, dominant hommes et dieux, reine et guide de l'univers?

Cela dans les Lettres Persanes, dans ce livre frivole dont je disais un peu de mal tout à l'heure. C'est que la fin n'en ressemble guère au commencement. A mesure que le livre avance, le ton s'élève, les questions graves sont touchées, l'Esprit des lois s'annonce. Origine des sociétés (lettre XCIV), monarchie, et comment elle dégénère soit en république, soit en despotisme (lettre CII); périls des gouvernements sans pouvoirs intermédiaires entre le roi et le peuple (lettre CIII); ces grandes affaires sont indiquées d'un trait rapide, mais qui frappe et fait réfléchir. L'observateur mondain s'efface peu à peu devant le sociologue. Des hommes divers qui composent Montesquieu, on voit qu'il en est un qui écrira l'Esprit des Lois. Il ne serait même pas impossible que tous y missent la main.

V

L'ESPRIT DES LOIS, LIVRE DE «CRITIQUE POLITIQUE»

Et, en effet, il en a été ainsi. L'Esprit des Lois nous montrera, agrandies, toutes les faces différentes de l'esprit de Montesquieu. Ce grand livre est moins un livre qu'une existence. C'est ainsi qu'il faut le prendre pour le bien juger. Il y a là, non seulement vingt ans de travail, mais véritablement une vie intellectuelle tout entière, avec ses grandes conceptions, ses petites curiosités, ses lectures, son savoir, ses imaginations, ses gaîtés, ses malices, sa diversité, ses contradictions. Imaginez un de nos contemporains, très souple d'esprit, juriste, mondain, politicien, voyageur et savant, qui réunit des s et écrit des articles pour la Revue des Deux-Mondes, les Annales de Jurisprudence, le Tour du Monde et la Romania; qui s'occupe de politique spéculative, de science religieuse, de science juridique, de curiosités ethnographiques, d'histoire et d'institutions du moyen âge. Au bout de sa vie il a cinq ou six volumes, sur des sujets très différents, qui n'ont pour lien commun qu'un même esprit général. Montesquieu a fait ainsi; mais de ces cinq ou six volumes il a formé un livre unique auquel il a donné un seul titre.

Ce livre s'appelle l'Esprit des Lois; il devrait s'appeler tout simplement Montesquieu. Il est comme une vie, il n'a pas de plan, mais seulement une direction générale; il est comme un esprit, il n'a pas de système, mais seulement une tendance constante; et tendance constante et direction générale suffisent comme ligne centrale d'un esprit bien fait et d'une vie bien faite. Dirai-je que, comme une vie humaine, à la prendre à partir de la jeunesse, il a, en ses commencements, le ton ferme et décidé, les vues d'ensemble un peu impérieuses, les mots hautains qui sentent la force[32], les généralisations ambitieuses; plus tard, les études de détail, les investigations minutieuses: plus tard encore certaines traces d'affaiblissement, d'insuffisante clarté dans beaucoup de science, de dessein général perdu, oublié, ou moins passionnément poursuivi?
Nous y retrouverons tout Montesquieu, tous les Montesquieu que nous connaissons. D'abord, et disons-le vite pour n'y pas revenir, le bel esprit de la Régence, l'homme de la philosophie en madrigaux et des grands sujets en style de ruelle. Celui-ci peu marqué, mais reparaissant de temps à autre. S'il y a déjà de l'Esprit des Lois dans les Lettres Persanes, il y a encore des Lettres Persanes dans l'Esprit des Lois. Tel chapitre se termine par une pointe galante, telle considération sur les moeurs d'Orient par un compliment épigrammatique aux dames d'Occident qui, «réservés aux plaisirs d'un seul, servent encore à l'amusement de tous». L'homme du bel air n'a pas disparu.

Nous retrouvons encore, et plus accusé, se surveillant moins, le voyageur curieux, le grand collectionneur d'anecdotes des deux mondes. Il est fureteur. Souvent on désirerait qu'il ne quittât point une grande vérité encore mal éclaircie à nos faibles yeux, pour rapporter une particularité sur le roi Aribas, ou tel cas étrange de polygamie à la côte de

Malabar. Il y a beaucoup trop de rois Aribas dans ce livre composé de s patiemment accumulées. Montesquieu, si bien fait pour les grands sujets, nous apparaît souvent comme un savant de La Bruyère. Il devait savoir si c'était la main droite d'Artaxerce qui était la plus longue.

Et voici venir le Romain, l'adorateur de l'antiquité latine. Tout ce qui se rapporte au gouvernement républicain, dans son livre, est tiré de l'étude qu'il a faite et de la vision qu'il a gardée de la vieille Rome. Grandes vertus civiques, législation forte, amour de la patrie, respect de la loi, un grand courage et un grand dessein; lorsque l'un et l'autre faiblissent, décadence et décomposition, substitution de la Monarchie à la République: pour Montesquieu voilà toute l'histoire romaine, et voilà l'essence de toute république. La République est: soyez vertueux. Il s'ingénie, pour ne désobliger personne, à restreindre le sens de ce mot de vertu. Qu'on ne s'y trompe point: il ne s'agit que de vertu «politique», c'est-à-dire d'amour de la patrie, de l'égalité, de la frugalité. Le lecteur s'est toujours obstiné à prendre, en lisant Montesquieu, le mot vertu dans tout son sens; et, en vérité, il a raison. L'auteur l'emploie à chaque instant dans sa signification la plus étendue; et quand même il ne le ferait point, l'amour de la patrie poussé jusqu'à lui sacrifier tout et soi-même n'est pas autre chose que la vertu tout entière, parce qu'elle la suppose toute.

Montesquieu apporte donc comme un élément, au moins, de sociologie moderne, l'idéal un peu convenu, un peu livresque, de simplicité voulue, de pureté et d'innocence dans les moeurs, qui lui est resté de son commerce avec Plutarque, avec Valère Maxime, et, remarquez-le, aussi avec les Moeurs des Germains, qu'il prend un peu trop au sérieux, et dont, vraiment, il abuse. Son fond d'optimisme, sa confiance dans les forces morales de l'homme, que lui a si durement reproché Joseph de Maistre, et que nous retrouverons ailleurs, vient de là. Il a eu sur sa pensée, et sur la pensée de beaucoup d'autres en son siècle, une grande influence.

Et si l'érudit ancien a sa part dans l'Esprit des Lois, l'observateur moderne a la sienne aussi. S'il prend l'idée de l'essence de la République dans ses livres latins, il prend l'idée de l'essence de la Monarchie dans le spectacle qu'il a sous les yeux. L'honneur est pour lui le principe des monarchies. Il faut entendre par là, non point le sentiment exalté de la dignité personnelle, ce serait état d'esprit que les anciens ont connu et qui se confond avec l'instinct du devoir; non point l'orgueil féodal, le respect d'un nom longtemps porté haut par une race fière, ce qui est l'essence plutôt des aristocraties; mais l'aptitude à se contenter pour sa récompense d'un titre «d'honneur» accordé par un souverain généreux et noble en ses grâces, le désir d'être distingué dans une cour brillante, l'amour-propre se satisfaisant dans un rang, un grade, un titre, une dignité. C'est dans ce sens que Montesquieu emploie toujours ce mot d'honneur toutes les fois qu'il en use en parlant monarchie. C'est l'impression laissée en son esprit par le siècle de Louis XIV qui lui a donné cette idée. Dans les Persanes il voyait surtout en France des sentiments légers et délicats de valeur brillante et un peu étourdie, des airs, du paraître, de la vanité. La vanité française élevée presque au degré d'une vertu, voilà cet honneur dont il fait le fondement, un peu fragile, de la monarchie tempérée. Il suppose un prince magnanime, une noblesse qui ne rêve que cour, une bourgeoisie qui n'aspire qu'à devenir noblesse; et il faut confesser qu'un Français né sous Louis XIV a quelques raisons de se faire de la monarchie cette idée-là.

Et nous tournons la page; et voici que nous nous trouvons en présence d'un autre homme, d'un savant qui a médité sur la physiologie et qui se dit que la sociologie pourrait bien n'être que l'histoire naturelle des peuples. Il avait déjà, nous l'avons vu, ce pressentiment dans les Persanes; il arrive, dans les Lois, à en faire toute une théorie. Les peuples sont des fourmilières à qui le sol qu'elles habitent donne leur tempérament, leur complexion, leur allure, leurs démarches, leurs lois; car «les lois sont les rapports nécessaires qui résultent de la nature des choses». Les climats font ici les fibres plus molles, et là les nerfs plus solides. Ils donnent ici la volonté, et là l'esprit de soumission. Ce n'est pas tel homme qui est monarchiste, c'est telle région. Ce n'est pas tel homme qui est républicain, c'est telle zone. La famille n'est pas la même dans les pays chauds et les pays froids33. Là où le climat fait la femme nubile de bonne heure, il la met dans un état de dépendance plus grande qu'ailleurs. L'égalité des sexes n'est pas une conception de la raison, c'est un effet des climats tempérés. Et, l'état politique se modelant sur l'état domestique, voilà, avec la famille, la constitution, le gouvernement, la législation, la cité, forcés de changer d'une latitude à l'autre, ou seulement de la vallée à la montagne34.

Plantes, un peu plus mobiles, nourries par la mère commune, les hommes varient comme les végétaux d'un point à un autre de cet univers. Forêts, un peu plus agitées, les peuples, des tropiques aux zones tièdes, offrent aux yeux des aspects différents dont la raison est dans le sol qui les alimente, l'air qui les secoue ou qui les berce, le soleil qui les soutient ou qui les accable.

Mais qu'il poursuive, dira quelqu'un: toute la théorie physiologique appliquée aux races humaines est dans ces principes! Ajoutez-y ce qu'ils comportent naturellement. Considérez, ainsi qu'il fait, un peuple comme un organisme: voyez en ce peuple sa sève se former, s'accroître, fleurir, produire, s'épuiser; les sentiments, idées, préjugés, religions, arts, propres à l'essence de cette race, se former lentement, éclore en une civilisation particulière, décliner, s'effacer, disparaître...

Permettez! Montesquieu n'ira pas loin dans le chemin qu'il vient d'ouvrir, parce qu'il rencontrera un autre Montesquieu qui ne s'accommoderait pas de ce système. Si l'histoire des peuples est fatale comme une végétation, il n'y a qu'à la laisser aller. Il sera intéressant de la décrire, il serait inutile d'essayer de peser sur elle. Il ne faudra pas donner des lois aux peuples; il faudra observer les lois selon lesquelles les peuples se développent. Le mot même de législateur, si cette théorie est juste, est un non-sens. Or Montesquieu est né législateur. Il aime à croire aux causes intelligentes; il aime à croire à la raison humaine modelant les peuples, formulant des maximes de conduite qui sont des morales, des principes de statique sociale qui sont des constitutions, des axiomes de justice qui sont des codes; et s'il a dit que «les lois sont des rapports nécessaires qui résultent de la nature des choses» et s'il le croit, il ne croit pas moins que les lois sont des rapports justes entre les idées.Et par suite il arrivera, conséquence assez piquante, que l'inventeur même, en France, de la sociologie fataliste, sera le plus déterminé et le plus minutieux des législateurs, sera l'homme qui dira le plus souvent: «les législateurs doivent faire ceci»; comme s'il n'était pas contradictoire qu'ils eussent quelque chose à faire.

N'aperçoit-il point la contrariété?Si vraiment Montesquieu n'a point remarqué, je crois, à quel point il était complexe, divers, fleuve où se jettent et se mêlent les eaux les plus différentes; mais quand la variété des idées va jusqu'au conflit, il n'est pas homme à ne s'en point aviser. La manière dont il s'est dégagé ici montre, de ses différents sentiments, quel est enfin celui qui l'emporte. Cette théorie des climats il ne la pousse pas jusqu'à l'exclusion de la raison législative; il l'y subordonne. Ces puissances naturelles il y croit; mais il croit que le législateur peut et doit les combattre (Livre XVI).Loin que la loi soit la dernière conséquence fatale du climat, elle est faite pour lutter contre lui, bonne à proportion qu'elle lui est contraire. «Les bons législateurs sont ceux qui se sont opposés aux vices du climat, et les mauvais ceux qui les ont favorisé.» Il faut opposer les «causes morales» aux «causes physiques» (XIV,), combattre la paresse, par exemple, par l'honneur (XIV,), l'inertie fataliste des pays chauds par une doctrine d'initiative et d'énergie (XIV,); etc.

Ce n'est pas tout: si les moeurs sont des effets du climat, que le législateur doit tempérer, les constitutions, de plus loin, le sont aussi. Ce sera aux lois particulières de tempérer les constitutions, comme c'était aux constitutions de redresser les mauvaises influences des climats. Là où la forme du gouvernement comportera une certaine rapidité d'exécution, les lois devront y mettre une certaine lenteur (V,). «Elles ne devraient pas seulement favoriser la nature de chaque constitution, mais encore remédier aux abus qui pourraient résulter de cette même nature.»

Et nous voilà aussi loin que possible du point où nous étions tout à l'heure; nous voilà, non plus avec un philosophe expérimental, un naturaliste politique; mais avec une sorte de fabricateur souverain, un démiurge, une sorte de mécanicien qui monte et démonte les rouages des institutions humaines, non seulement explique le jeu des ressorts, mais croit qu'on en peut fabriquer, en fabrique, met ici plus de poids, là plus de liant, ralentit ou précipite par l'addition d'une roue ou d'un balancier, a le secret de l'équilibre, et croit avoir la puissance de l'établir.

C'est ceci qu'il est surtout. Ses penchants sont très divers, comme chez un homme qui a beaucoup d'intelligence et peu de passions. Mais l'intelligence, à s'exercer, devient une passion aussi, et si, souvent, il lui suffit de comprendre, qu'elle aime bien mieux se satisfaire du plaisir ou de l'illusion de créer! Montesquieu y cède avec ravissement. En présence des peuples il est d'abord un spectateur attentif; puis un peintre, un interprète, un historien; puis enfin, un savant qui, à force de connaître et de comprendre, croit pouvoir redresser, corriger, améliorer, guérir, qui croit que les lumières peuvent être créatrices, que les idées, quand elles sont si belles, doivent être fécondes;et qui peut-être ne se trompe pas.

Mais ceci est le dernier trait, le plus important, je crois, mais seulement le dernier. N'oublions pas les autres. Rappelons-nous bien qne Montesquieu, de par son intelligence même, qui est infiniment souple et admirablement pénétrante, entre partout et ne s'enferme nulle part, et de par son tempérament qui est tranquille, aurait bien de la peine à être systématique.Car un système est, selon les cas, une idée, une passion ou une table des matières.C'est une idée chez ceux qui ne sont pas très capables d'en avoir deux, et qui, en ayant conçu ou emprunté une, y accommodent toutes les observations de détail qu'ils font sur les routes.C'est une passion chez ceux qui, incapables de penser autre chose que ce qu'ils sentent, d'un penchant de leur tempérament font une idée, optimisme, pessimisme, scepticisme, fatalisme, et y font comme inconsciemment rentrer tout ce que l'expérience ou la réflexion leur présente.C'est un simple memento, une méthode de classement, pour les intelligences vulgaires qui ont besoin d'un cadre à compartiments, d'un casier commode à ranger leurs pensées et découvertes dans un bon ordre et à les retrouver aisément.

Montesquieu n'a de casier ni dans le tempérament ni dans l'intelligence. Il est si peu homme à système qu'il est capable d'en avoir plusieurs. Comme il a en lui plusieurs hommes, il a en lui plusieurs idées générales des choses. Sa facilité est incroyable pour se placer successivement à plusieurs points de vue très divers. Ce serait faiblesse chez un homme médiocre; chez lui, chaque livre de l'Esprit des lois suggérant tout un système historique ou politique qui ferait la fortune intellectuelle de l'un de nous, on est bien forçé de croire que c'est supériorité.

De cette nature d'esprit quel genre de livre pouvait sortir? Rien autre chose qu'un livre de critique. Le critique est précisément celui qui a une aptitude naturelle à entrer successivement dans les idées et les états d'esprit les plus différents, et même contraires: c'est sa marque propre. Et quand cette aptitude ne lui permet que de bien saisir et traduire les idées des autres, il est dans la hiérarchie intellectuelle, mais au plus bas degré; et quand elle va jusqu'à lui permettre de comprendre des idées et des systèmes différents et contraires qui n'ont pas même été encore inventés, il est précisément au sommet de l'intelligence humaine. Un génie si puissant qu'il est inventeur, et si varié et pénétrant dans divers sens qu'il est critique, voilà Montesquieu; un livre de critique divinatrice, voilà l'Esprit des lois.

C'est ainsi qu'il le faut prendre pour en saisir toute la portée. Cet homme se place au centre de l'histoire, puis, successivement, envisage toutes les façons dont les hommes ont organisé leur association, et de chaque institution il voit la vertu, le vice, le germe vital et le germe mortel, et dans quelles conditions elle peut devenir grande, ou languir, ou durer sans accroissement, ou s'élancer pour tomber vite, ou se transformer en son contraire même. Il est tour à tour: monarchiste, pour savoir que la monarchie se soutient par le sentiment de l'honneur dans une classe privilégiée qui entoure le prince et qu'elle tombe par l'avilissement de cette classe; aristocrate, pour comprendre qu'une aristocratie subsiste par la modération, c'est-à-dire par la prudence et la sagesse d'un ordre de l'État, et se transforme en ploutocratie et de là en despotisme, dès que l'esprit de modération l'abandonne;démocrate, pour sentir que tout un peuple devant, dans ce cas, avoir la sagesse d'un bon prince ou d'un excellent sénat, il faut un prodige (qui s'est vu du reste), la vertu même, pour gagner une pareille gageure;despotiste même (et pourquoi non?) pour nous peindre le bonheur d'un peuple qui a su rencontrer (cela s'est vu aussi) un despotisme intelligent35; mais pour nous montrer aussi combien un pareil état est instable et comme monstrueux, effet d'un heureux hasard qui ne se renouvelle point.

: (retour) Arsace et Isménie histoire orientale.

Et encore il se fera chrétien, lui qui, de nature, l'est si peu, pour nous faire voir non seulement l'esprit du christianisme, mais jusqu'à ses transformations et son évolution historique. Qu'un lecteur superficiel ouvre ce livre à telle page, il y verra que le christianisme est antisocial (XXIII,): «Le christianisme a favorisé le célibat, diminué la puissance paternelle, détaché les citoyens de la patrie terrestre au profit d'une autre.» Que le même lecteur regarde le livre suivant, il verra (XXIX,) que le christianisme fait les meilleurs citoyens, les plus éclairés sur leurs devoirs, les plus capables de comprendre la patrie, étant les plus habitués au renoncement à eux-mêmes. C'est que Montesquieu ne borne point sa vue à un temps, et sait qu'une religion ne peut naître qu'en s'isolant de la cité; ne peut subsister qu'en s'y rattachant; ne peut commencer que comme une secte, ne peut s'assurer qu'en devenant un organe social; a par conséquent dans sa maturité des démarches contraires à l'esprit de son origine, jusqu'au jour où, perdant son influence sur la cité, elle revient à son point de départ.

C'est ainsi que certains étonnements qu'il provoque tournent à la gloire de son sens critique. On trouve une petite étude sur le Paraguay dans son chapitre sur les institutions des Grecs36. Quel rapport, et que signifie cet éloge de l'État-couvent établi par les Jésuites au nouveau monde? Qu'on lise tout le chapitre, et l'on verra combien Montesquieu a l'intelligence de l'État antique: comme il a bien vu que Sparte était une sorte de couvent, un ordre de moines guerriers, sans idée de la liberté et de la propriété individuelle, rapportant tout à la maison commune, à la grandeur et à la richesse de l'Ordre; qu'il y a quelque chose de cet esprit dans toutes les républiques antiques, et dans la Rome primitive comme dans la Grèce ancienne; que ces républiques de l'ancien monde étaient des associations de religieux ayant pour église la patrie, et faisant voeu pour elle d'égalité, de frugalité, de pauvreté et de bonnes moeurs37; qu'ainsi s'expliquent cette idée de la vertu tenue pour principe des États républicains et cette autre idée que l'État républicain convient aux pays limités et concentrés; et toute cette admirable critique de la constitution républicaine, écrite par un philosophe solitaire, et qui n'était pas républicain, au milieu de l'Europe monarchique.

Et, je l'ai dit, cette critique est tellement puissante, elle va si sûrement, au fond des organismes sociaux, saisir le secret ressort qui dans telles conditions doit produire tels effets, qu'elle peut devenir prophétique. Montesquieu comprend l'histoire jusqu'à la prédire. Il a vu que la Révolution française serait conquérante; cela sans songer à la Révolution française; mais la prophétie sort, sans qu'il y pense, de la théorie générale: «Il n'y a point d'État qui menace si fort les autres d'une conquête que celui qui est dans les horreurs de la guerre civile...» On croirait à un paradoxe. Il faut se défier des paradoxes de Montesquieu. Le plus souvent il est en dehors de la croyance commune parce qu'il la dépasse. Continuons: «Tout le monde, noble, bourgeois, artisan, laboureur, y devient soldat, et cet Etat a de grands avantages sur les autres, qui n'ont guère que des citoyens. D'ailleurs, dans les guerres civiles il se forme sauvent des grands hommes, parce que, dans la confusion, ceux qui ont du mérite se font jour, chacun se place et se met à son rang; au lieu que dans les autres temps on est placé presque toujours tout de travers38.»

: (retour) Grandeur et Décadence, XI.La Grandeur et Décadence est un chapitre détaché de l'Esprit des Lois et publié à l'avance.

Il a prédit Napoléon, rien qu'en indiquant les suites nécessaires du passage d'une monarchie tempérée à une monarchie militaire: «L'inconvénient n'est pas lorsque l'État passe d'un gouvernement modéré à un gouvernement modéré, mais quand il tombe et se précipite du gouvernement modéré au despotisme. La plupart des peuples d'Europe sont encore gouvernés par les moeurs. Mais si par un long abus du pouvoir, si, par une grande conquête, le despotisme s'établissait à un certain point, il n'y aurait pas de moeurs ni de climats qui tinssent; et dans cette belle partie du monde, la nature humaine souffrirait, au moins pour un temps, les insultes qu'on lui fait dans les trois autres.» Avec la prédiction de faite en dans le Courrier de Provence par Mirabeau39, je ne vois pas d'exemple de génie politique plus habile à pénétrer l'avenir; et Mirabeau prévoit de moins loin.

A le prendre comme un livre de critique, voilà cet ouvrage étonnant, né d'un esprit incroyablement propre à se transformer pour comprendre, à se faire tour à tour ancien, moderne, étranger, non seulement à entrer dans une âme éloignée de lui, mais à s'y répandre, à la pénétrer tout entière, à s'y mêler et à vivre d'elle; non moins apte encore à la quitter, et à recommencer avec une autre. Il y a peu d'exemples d'une liberté plus souveraine, d'une intelligence, d'une compréhension plus prompte, plus facile, plus sûre et plus complète. J'ai dit que ce livre était une existence; c'est l'existence d'un homme qui aurait vécu de la vie de milliers d'hommes.La haute critique, aussi bien, n'est pas autre chose. C'est le don de vivre d'une infinité de vies étrangères, quelquefois d'une manière plus pleine et plus intense que ceux qui les ont vécues, et avec cette clarté de conscience, que ne peut avoir que celui qui est assez fort pour se détacher et s'abstraire, et regarder en étranger sa propre âme; ou assez fort, en sens inverse, pour entrer dans une âme étrangère et la contempler de près, comme chose à la fois familière et dont on sait ne pas dépendre.

Et comme c'est une vie de penseur qui est dans ce livre, aussi faut-il le lire comme il a été écrit, le quitter, y revenir, y séjourner, le laisser pour le reprendre, le répandre par fragments dans sa vie intellectuelle. Chaque page laisse un germe là où elle tombe. Il s'est peu soucié de donner, d'un coup, une de ces fortes impressions comme en donnent les livres qui sont construits comme des monuments. Il a semé prodigalement et vivement des milliers d'idées, toutes fécondes en idées nouvelles. C'est dans le foisonnement des pensées qu'il a fait naître chez les autres qu'il pourrait s'admirer. La beauté est dans la moisson qui ondoie et luit au soleil; la force, l'âme, le Dieu caché était dans le grain.

VI

SYSTÈME POLITIQUE QU'ON PEUT TIRER «DE L'ESPRIT DES LOIS.»

Mais encore n'a-t-il été que critique, que le contemporain, l'hôte et l'interprète de tous les peuples, indifférent du reste, à force d'indépendance, et impartial jusqu'à être sans opinion? Quoi! rien de didactique dans un livre de philosophie sociale! Montesquieu n'a jamais enseigné? Il a donné des explications de tout et n'a point donné de leçons?Il faut s'entendre. A le prendre comme professeur de science politique, on le restreint, mais on ne le trahit pas. Le critique explique toutes choses, mais au plaisir qu'il prend à en expliquer quelques-unes, sa secrète inclination se révèle. On peut comprendre toutes choses et en préférer une. De tout grand critique on peut tirer un corps de doctrine, en surprenant les moments où, sans qu'il y songe, sa façon de rendre compte est une manière de recommander. Lorsque Montesquieu nous dit: «Dans tel cas... tout est perdu!» on peut croire que ce qu'il désigne comme étant tout, est ce qu'il aime.

Supposons donc un élève de Montesquieu, très pénétré de toute sa pensée, et soucieux d'en faire un système, qui serait pour Montesquieu ce que Charron fut pour Montaigne, et qui voudrait écrire le livre de la Sagesse politique, exprimer la leçon que l'Esprit des Lois contient, et, aussi, enveloppe. Il diminuera Montesquieu, en donnant pour tout ce qu'il pense seulement ce qu'il souhaite. Mais il l'éclaircira aussi en montrant, parmi tout ce qu'il explique, ce qu'il approuve.Et voici, ce me semble, à peu près, ce qu'il dira.

Montesquieu était un modéré. Il l'était de naissance, d'hérédité et comme de climat, étant né de famille au-dessus de la moyenne, sans être grande, et dans un pays tempéré et doux. Il détestait tout ce qui est violent et brutal. Ayant eu vingt-cinq ans en , la première grande violence et frappante brutalité qu'il ait vue a été le despotisme de Louis XIV, la monarchie française se rapprochant du despotisme oriental. L'horreur de cette contrainte est le premier sentiment dominant qu'il ait éprouvé. Les Lettres Persanes le prouvent assez. La haine du despotisme est restée le fond même de Montesquieu.

Homme modéré, il déteste le despotisme, parce qu'il est un état violent qui tend tous les ressorts de la machine sociale. Homme intelligent, il le déteste parce qu'il est bête: «Pour former un gouvernement modéré, il faut combiner les puissances, les régler, les tempérer, les faire agir... c'est un chef-d'oeuvre... Le gouvernement despotique saute pour ainsi dire aux yeux. Il est uniforme partout. Comme il ne faut que des passions pour l'établir, tout le monde est bon pour cela40. Voyez cette pensée si profonde: «L'extrême obéissance suppose de l'ignorance dans celui qui obéit; elle en suppose même chez celui qui commande. Il n'a point à raisonner, il n'a qu'à vouloir.»Voyez ce qu'il reprochait dans sa jeunesse, et injustement, je crois, à Louis XIV; c'est surtout d'avoir été un sot41. Ce qui n'est pas calcul, prudence, prévoyance, ménagements délicats, exercice de l'intelligence ordonnatrice, le révolte; et le despotisme n'est rien de cela. Gouverner, c'est prévoir. Le gouvernement c'est le laboureur qui sème et récolte; le despotisme c'est le sauvage qui coupe l'arbre pour avoir les fruits42.

Cette haine du despotisme, il l'applique à tout ce qui en porte la marque. Il l'appliquait à son roi; remarquez qu'il l'applique à Dieu. L'idée de Dieu-providence lui répugne. Un Dieu qui intervient dans les affaires particulières des hommes lui paraît un gouvernement arbitraire; c'est un tyran bon. Il résiste a cette conception. Il soumet Dieu à la justice, et pour l'y mieux soumettre il l'y confond. «S'il y a un Dieu, il faut nécessairement qu'il soit juste.... .» Il ne veut pas de la fatalité, qui est un despotisme bête; il ne voudrait pas d'un Dieu arbitraire, qui lui semblerait un despotisme capricieux: «Ceux qui ont dit qu'une fatalité aveugle gouverne le monde ont dit une grande absurdité»; mais ceux-là aussi lui sont insupportables «qui représentent Dieu comme un être qui fait un exercice tyrannique de sa puissance». Reste qu'il croit à un Dieu très abstrait, qui ne diffère pas sensiblement de la loi suprême née de lui46. Il s'amuse, dans une des Persanes, à dire que si les triangles avaient un Dieu, il aurait trois côtés. Il fait un peu comme les triangles. Par horreur du despotisme, il voudrait mettre à la place de la Divinité une constitution. Il ne la voit guère que comme l'essence des règles éternelles. Pour Montesquieu, Dieu, c'est l'Esprit des Lois.
Haine du despotisme encore, sa méfiance à l'endroit de la démocratie pure. Personne n'a parlé plus magnifiquement que lui des démocraties anciennes. C'est qu'elles étaient mixtes; dès qu'elles ont été le gouvernement du peuple seul par le peuple seul, elles ont penché vers la ruine. «Le peuple mené par lui-même porte toujours les choses aussi loin qu'elles peuvent aller; et tous les désordres qu'il commet sont extrêmes47. Aussi toute démocratie est sur la pente ou du despotisme ou de l'anarchie. L'esprit «d'égalité extrême» la porte à considérer comme des maîtres les chefs qu'elle se donne, et à tout niveler au plus bas. Dans ce désert l'espace est libre et l'obstacle nul pour un tyran, à moins que l'idée de despotisme ne soit tout à fait insupportable, auquel cas «l'anarchie, au lieu de se changer en tyrannie, dégénère en anéantissement».

Si la crainte du despotisme est tout le fond de Montesquieu, la recherche des moyens pour l'éviter sera toute sa méthode. Dans tout son ouvrage on le voit qui guette en chaque état politique le vice secret par ou la nation pourra s'y laisser surprendre. Le despotisme est pour Montesquieu comme le gouffre commun, le chaos primitif d'où toutes les nations se dégagent péniblement par un grand effort d'intelligence, de raison et de vertu, pour se hausser vers la lumière, d'un mouvement très énergique et dans un équilibre infiniment laborieux et infiniment instable, et pour y retomber comme de leur poids naturel; les raisons d'y rester, ou d'y revenir, étant multiples, le point où il faut atteindre pour y échapper étant unique, subtil, presque imperceptible, et la liberté étant comme une sorte de réussite.

Comme l'homme, engagé dans le monde fatal, dans le tissu matériel et grossier des nécessités, sent qu'il est une chose parmi les choses et dépendant de la monstrueuse poussée des phénomènes qui l'entourent, le pénètrent, le submergent et le noient; et s'élève pourtant, ou croit s'élever, au moins parfois, à un état fugitif et précaire d'autonomie et de gouvernement de soi-même où il lui semble qu'il respire un moment; de même les peuples sont embourbés naturellement dans le despotisme, et quelques-uns seulement, les plus raffinés à la fois et les plus forts, par une combinaison excellente et précieuse de raffinement et de force, peuvent en sortir, et peut-être pour un siècle, une minute dans la durée de l'histoire; et cette minute vaut tout l'effort, et le récompense et le glorifie; car ce peuple, un cette minute, a accompli l'humanité.

Montesquieu la cherche donc, cette combinaison délicate. Il en a trouvé tout à l'heure des éléments dans la démocratie et il ne les oubliera pas. Mais, nous l'avons vu aussi, la démocratie ne suffit pas à réaliser son rêve; elle a des pentes trop glissantes encore vers le despotisme, et seule, sans mélange, étant le caprice, elle est le despotisme lui-même.Nous tournerons-nous vers l'aristocratie, qui pour Montesquieu, et il a raison, n'est qu'une autre forme de la République? Montesquieu est profondément aristocrate. Il a donné comme étant le principe du gouvernement aristocratique la qualité qui était le fond de son propre caractère, la modération. C'était trahir son secret penchant. Ce qu'il entend par aristocratie, c'est une sorte de démocratie restreinte, condensée et épurée. Un certain nombreet il le veut assez considérablede citoyens distingués par la naissance, préparés par l'hérédité, affinés par l'éducation (z ce point, il y tient), et se sentant, et se voulant égaux entre eux, gouvernent l'Etat du droit de leur intelligence, de leurs aptitudes et de leur savoir. Idées singulières, qui montrent assez combien Montesquieu reste de son temps et de sa caste. Il en est tellement qu'il semble ne pas soupçonner l'idée, vulgaire cinquante ans plus tard, de l'admissibilité de tous aux fonctions publiques. Il est pour la vénalité des charges de magistrature, ce qui arrache à Voltaire, si peu démocrate pourtant, un cri d'indignation49. Ses idées sur ce point sont très arrêtées. Il sait bien que la vénalité c'est le hasard; mais il estime qu'en cette affaire mieux vaut s'en remettre un hasard qu'au choix du gouvernement50. Comme il veut une séparation absolue entre le pouvoir exécutif et le pouvoir judiciaire51, pour que ce dernier soit absolument indépendant, à la nomination des juges par le gouvernement il préfère le hasard comme origine, et la fortune comme garantie d'indépendance. Il n'y a pas d'idée plus aristocratique que celle-là. Sous prétexte que les citoyens peuvent avoir des différends avec le gouvernement, elle établit, pour les trancher, un pouvoir aussi fort que celui-ci. Tandis que le principe démocratique veut que les intérêts particuliers du citoyen soient sacrifiés à l'intérêt du gouvernement, Montesquieu, pour les sauver, crée un pouvoir aussi indépendant, aussi solide, et aussi absolu que le Pouvoir. Et il a raison.

: (retour) «Cette vénalité est bonne dans les Etats monarchiques, parce qu'elle fait faire comme un métier de famille ce qu'on ne voudrait pas entreprendre pour la vertu....»

(vi.). Voltaire s'écrie: «La fonction divine de rendre la justice, de disposer de la fortune ou de la vie des hommes, un métier de famille!»
Une aristocratie nobiliaire, une aristocratie judiciaire, il désire l'une et l'autre. Il veut un corps des nobles héréditaire52, l'aristocratie étant «héréditaire par sa nature», puisqu'elle n'est pas autre chose que sélection, traditions, éducation. Il y voit trois garanties, modération, stabilité et compétence.

Il reste donc aristocrate?Non pas exclusivement. L'aristocratie a autant de raisons de glisser au despotisme que la démocratie. Sans aller plus loin, sa raison d'être est raison de sa ruine. «Elle doit être héréditaire» (XI,) et «l'extrême corruption est quand elle le devient» (VIII,). Ceci n'est pas une contradiction de Montesquieu, c'est une contrariété des choses mêmes. L'hérédité fonde l'aristocratie parce qu'elle fait une classe compétente; elle ruine l'aristocratie parce qu'elle fait une classe d'où les compétences isolées sont exclues. Elle fait du corps aristocratique un gouvernement très intelligent qui arrive vite à n'appliquer son intelligence qu'à son intérêt. Dans la démocratie manque l'intelligence des intérêts généraux: dans l'aristocratie manque le souci des intérêts généraux. Et obéissant à sa nature, qui est concentration du pouvoir, l'aristocratie tend à se faire de plus en plus restreinte, jusqu'à n'être plus qu'aux mains de quelques-uns, dont le plus fort l'emporte: nous voilà encore au despotisme.

Nous retournerons-nous du côté de la monarchie? Mais c'est le despotisme!Non! Non! et Montesquieu tient à cette distinction. Pour lui la monarchie même non parlementaire, même sans Chambres délibérantes à côté d'elle, n'est point le despotisme.

Les critiques qui depuis ont étudié Montesquieu ont été surpris de cette assertion, et l'ont considérée comme une singularité de son imagination. L'idée peut être une erreur; mais elle n'est pas une nouveauté. Quand elle ne daterait pas de Rodin, elle daterait de Bossuet53; c'est une idée commune aux publicistes de l'ancien régime qu'une monarchie sans dépôt des lois n'est pas pour cela une monarchie sans lois. Elle est absolue, elle n'est pas arbitraire. Elle n'est contenue par rien, mais elle doit se contenir; elle n'est forcée d'obéir à rien, mais elle doit obéir à quelque chose. Elle a devant elle vieilles lois nationales, vieilles coutumes, antiques religions, qu'elle ne doit pas enfreindre. Elle est une volonté qui doit tenir compte des coutumes. Il n'y a despotisme que dans les pays où il n'y a ni lois, ni religion, ni honneur, ni conscience.

: (retour) «C'est autre chose que le gouvernement soit absolu, autre chose qu'il soit arbitraire.... Outre que tout est soumis au jugement de Dieu... il y a des lois dans les Empires contre lesquelles tout ce qui se fait est nul de droit, et il y a toujours ouverture à revenir contre, ou dans d'autres occasions ou dans d'autres temps (Politique, viii, , .)

Mais là où la garantie de tout cela n'existe pas?Il y a pente au despotisme et trop grande facilité à l'établir, mais non point despotisme. Pour Montesquieu, la monarchie de Louis XIV, par exemple, n'est point despotisme; il est vrai qu'elle y tend.

La monarchie ne doit donc pas être repoussée a priori. Elle est très acceptable. Elle a même pour elle un singulier avantage: elle fait faire par honneur, par besoin d'être distingué du prince, ce qu'on fait ailleurs par vertu. Elle supplée au civisme. Elle arrive à créer des sentiments, et des sentiments qui sont très bons: fidélité personnelle, amour pour un homme ou une famille, dont c'est la patrie qui profite.Autant dire (ce que Montesquieu n'a pas assez dit) qu'elle fait une sorte de déviation du patriotisme, de déviation et de concentration. Cette patrie, qu'on aimerait peut-être languissamment, on l'aime ardemment, et on la sert, dans cet homme qu'on voit et qui vous voit, et peut vous remarquer, dans cet enfant qui vous sourit, qui vous plait par sa faiblesse, qui, homme, sera là certainement, dans vingt ans, avec une mémoire que la grande patrie n'a guère.Mais le despotisme est la pire des choses, et il est bien vrai que la monarchie y tend très directement. Il suffit, pour qu'elle y glisse, que le roi soit fort et ne soit pas très intelligent54, qu'il soit si capricieux «qu'il croie mieux montrer sa puissance en changeant l'ordre des choses qu'en le suivant... et qu'il soit plus amoureux de ses fantaisies que de ses volontés». Cela se rencontre bien vite et est bien vite imité.

: (retour) vii, .

Que faire donc? Montesquieu n'a pas inventé ce qui suit. Aristote savait le secret, et Cicéron avait très bien lu Aristote. Il faut un gouvernement mixte, qui, par une combinaison très délicate des avantages des différents gouvernements, s'arrête dans un juste équilibre, et soit aux États ce que la vie est au corps, l'ensemble organisé des forces qui luttent contre la mort toujours menaçante: la mort des États, c'est le despotisme.

Les anciens ont eu de ces sortes de gouvernements, et ce furent les meilleurs qui aient été. Ils ont su mêler et unir, à certains moments, aristocratie et démocratie, dans des proportions très heureusement rencontrées. Nous avons une force de plus, une institution particulière apportant, elle aussi, ses avantages propres, la monarchie: faisons-la entrer dans notre système. Montesquieu s'arrête à la monarchie aristocratique entourée de quelques institutions démocratiques.

La monarchie, en effet, est excellente à la condition d'être à la fois soutenue et contenue par quelque chose qui soit entre elle et la foule. Le despotisme n'est pas autre chose qu'une foule d'égaux et un chef. C'est pour cela que despotisme oriental ou démocratie pure sont despotisme au même degré. Une nation n'est pas poussière humaine, avec un trône au milieu. Elle est un organisme, où tout doit être poids et contrepoids, résistances concertées et équilibre. Egalité absolue avec chefs temporaires, c'est despotisme capricieux. Egalité absolue avec chef immuable, c'est, selon le caractère du chef, despotisme capricieux encore, ou despotisme dans la torpeur. Le fondement même de la liberté, c'est l'inégalité.

Ce qu'il faut, c'est quelqu'un qui commande, quelqu'un qui contrôle, et quelqu'un qui obéisse; et entre ces personnes diverses de l'unité nationale des rapports, fixés par des lois, dont quelqu'un encore ait le dépôt. Entre le roi et la foule des Corps intermédiaires, qui limitent, redressent et épurent la volonté de celui-là et préparent l'obéissance de celle-ci. Une noblesse héréditaire est un bon corps intermédiaire55 Elle a la tradition de l'honneur national, et héréditaire comme le roi, mais collective elle est l'obstacle naturel à la volonté du trône quand celle-ci est capricieuse. Elle est un excellent corps de veto; c'est la «faculté d'empêcher» qui est son office propre56.Le clergé est un corps intermédiaire assez utile. Bon surtout où il n'y en a point d'autre57, il est salutaire dans une monarchie comme obstacle mou et insensible, pour ainsi dire, infiniment fort encore par son ubiquité, sa ténacité, «algue» qui amortit, énerve le flot.

Il faut encore un ordre intermédiaire qui ait «le dépôt des lois». Sauf en Orient, toutes les monarchies ont des lois, puissances idéales, limitatives du prince, protectrices du citoyen. Ecrites ou non, simples précédents et coutumes, ou textes et chartes, elles existent partout où il y a organisme social. Elles ne sont que les définitions du jeu de cet organisme. Mais il est des pays où on les sent plutôt qu'on ne les voit. Elles en sont plus redoutables, étant plus mystérieuses. Mais elles sont plus faciles à étudier. Elles sont plus redoutées que contraignantes. Il est bon qu'on puisse les voir, les lire quelque part. Un corps en aura la garde, les retiendra, les transcrira, les rappellera, et, de ce chef, aura des privilèges (indépendance, inviolabilité, autonomie) parce qu'il aura un office social58.

: (retour) «L'indépendance du pouvoir judiciaire est la plus forte garantie de la liberté. Si la monarchie française n'est pas encore un pur despotisme, c'est que la magistrature française existe». «Dans la plupart des royaumes d'Europe, le gouvernement est modéré parce que le prince, qui a les deux premiers pouvoirs, laisse à ses sujets l'exercice du troisième.» (Esprit, XI, , alinéa .)
Enfin, au bas degré, il y a tout le monde. Le peuple doit obéir, mais non pas être tout passif. Incapable de «conduire une affaire, de connaître les lieux, les occasions, les moments, d'en profiter», en un mot incapable de gouverner59, il est essentiel pourtant qu'on sache ce qu'il désire et surtout ce dont il souffre, parce qu'au bout de ses souffrances il y a la révolte qui ruine les lois, ou l'inertie et la désespérance qui distendent et brisent les muscles mêmes de l'Etat. Le peuple aura donc ses représentants, qu'il choisira très bien, car «il est admirable pour cela», qui interviendront dans la direction générale des affaires publiques. Il aura même sa part dans le pouvoir judiciaire, non pas en ce qui regarde le dépôt des lois, mais en ce qui concerne la distribution de la justice. Des jurys, de pouvoirs essentiellement

temporaires, seront tirés du corps du peuple, chargés d'appliquer la loi, sans avoir droit ni de l'interpréter ni de s'y soustraire, jugeant non en équité, mais sur le texte60.

Voilà la royauté, les institutions aristocratiques, et les institutions démocratiques mises en présence.

Et comment tout cela s'organisera-t-il?Trois puissances: exécutive, législative, judiciaire.

Le législateur fait la loi, le prince gouverne en s'y conformant, le magistrat en a le dépôt, et juge d'après elle. Ces pouvoirs sont scrupuleusement séparés. Le législateur ne jugera pas; car, alors, il ferait des lois en vue des jugements qu'il voudrait porter. Une loi serait dirigée à l'avance contre un homme qu'on voudrait proscrire. Plus de liberté.

Le législateur ne gouvernera pas, car alors il ferait des lois en vue des ordres qu'il voudrait donner. Une loi serait la préparation d'un caprice. Plus de liberté.

Le pouvoir exécutif ne légiférera point; car il aurait les mêmes tentations que tout à l'heure le législateur. Il ne jugera point; car il jugerait pour gouverner. Ses arrêts seraient des services, qu'il se rendrait. Plus de liberté.Il ne nommera même pas les juges, car il ferait des juges des instruments, et de la justice un système de récompenses ou de vengeances personnelles. Plus de liberté.

Chacun doit faire un office qu'il n'ait aucun intérêt à faire, si ce n'est honneur, et souci du bien général. La liberté c'est chaque pouvoir public s'exerçant, sans profit pour lui, au profit de tous.L'exécution doit être prompte: le pouvoir exécutif sera aux mains d'un homme.La délibération doit être lente: le pouvoir législatif sera aux mains de deux assemblées, de nature différente, dont l'une aura toutes les chances de ne pas obéir aux préjugés ou céder aux entraînements de l'autre.Le dépôt des lois et la justice sont choses de nature permanente: ils seront aux mains d'un grand corps de magistrats, qui, par l'effet d'un renouvellement insensible, aura comme un caractère d'éternité. «Voilà la constitution fondamentale du gouvernement dont nous parlons. Le Corps législatif y étant composé de deux parties, l'une enchaînera l'autre par sa faculté mutuelle d'empêcher. Toutes les deux seront liées par la puissance exécutrice, qui le sera elle-même par la législatrice.»

Et rien ne marchera!Pardon! ces différents ressorts, forment en effet un équilibre, et il semble qu'ils «devraient former une inaction». Mais les choses agissent autour d'eux; les affaires pèsent sur eux; il faut «qu'ils aillent»; seulement ils ne pourront qu'aller lentement et «qu'aller de concert», et c'est précisément ce qu'il nous faut61.

Mais tout cela, ou du moins de tout cela les germes et les premiers linéaments ne se trouvaient-ils point dans l'ancienne monarchie française? Royauté et vieilles lois n'est-ce point la «monarchie»? Clergé, Noblesse, Parlement ne sont-ce point les «pouvoirs intermédiaires»? Communes et Etats généraux, n'est-ce point la part nécessaire et désirable d'institutions démocratiques?Sans aucun doute; et Montesquieu n'est point un novateur, ce n'est point non plus un conservateur; c'est un rétrograde éclairé. Ce serait, s'il faisait une constitution, un restaurateur ingénieux des plus anciens régimes. Il n'aime pas ce qui est de son temps, il aime ce qui a été. C'était un «très bon gouvernement» que le «gouvernement gothique», ou du moins qui avait en soi la capacité de devenir meilleur: «La liberté civile du peuple (communes), les prérogatives de la noblesse et du clergé, la puissance des rois, se trouvèrent dans un tel concert que je ne crois pas qu'il y ait eu sur la terre de gouvernement si bien tempéré». Tirer du gouvernement «gothique» toute l'excellente constitution qu'il contenait en germe, voilà quel aurait dû être le travail du temps et des hommes. Les circonstances et l'esprit despotique de certains hommes ont amené le résultat contraire. Des guerres civiles, et des efforts de Richelieu, Louis XIV, Louvois, les trois mauvais génies de la France62, une monarchie est sortie, qui n'est point l'apogée de la monarchie française, qui en est la décadence, une monarchie mêlée de despotisme, qui y tend et qui le prépare, d'où peut sortir le despotisme sous forme de tyrannie ou sous forme de démocratie. Il est temps de revenir aux principes et en même temps aux précédents, aux principes rationnels et aux précédents historiques, qui justement ici se rencontrent; et l'on sauvera deux choses, la monarchie et la liberté.

Un retour en arrière éclairé par la connaissance de l'esprit des constitutions, voilà la sagesse. Montesquieu ne raisonne pas d'une autre façon qu'un Saint-Simon qui serait intelligent. Ce qui, dans Monsieur le Duc, est rêve confus et entêtement féodal, est chez Montesquieu à la fois sens historique, sens sociologique, et sens commun. Il sait que les nations se développent selon le mouvement naturel des puissances qu'elles portent en elles, et ces puissances, il montre ce qu'elles étaient en France, et ce qu'il importe qu'elles restent. Il sait que certain jeu et certains tempéraments d'éléments dissemblables sont nécessaires à tout gouvernement humain, et cette mécanique, il l'applique à la constitution française. Mais l'historien et le mécanicien politique ne s'oublient point l'un l'autre; ils se rencontrent et conspirent. Les principes du gouvernement idéal, c'est à la France telle qu'elle a été, telle qu'il ne serait pas si difficile qu'elle fût encore, que le sociologue les rapporte; les forces réelles et vives de la France historique, l'historien les place aux mains du mécanicien politique, seulement pour qu'il les mette en ordre et en jeu.

VII

MONTESQUIEU MORALISTE POLITIQUE

Qu'on le considère comme critique ou comme théoricien, Montesquieu paraît très grand. Il a vu infiniment de choses, et il a compris tout ce qu'il a vu. Il était capable de se détacher de son temps et d'y revenir,de comprendre l'essence et le principe des Etats antiques, et d'esquisser pour son pays une constitution toute moderne et toute historique, tirée du fond même de l'organisation sociale qu'il avait sous les yeux;et encore sa vue d'ensemble était assez forte pour prédire ce que deviendrait ce pays même quand les anciennes forces dont était composé son organisme auraient disparu.Son livre est un étonnant amas d'idées, toutes intéressantes, et dont la plupart sont profondes. Il n'y a aucune oeuvre qui fasse plus réfléchir. C'est son merveilleux défaut qu'à chaque instant il donne au lecteur l'idée de faire une constitution puis une autre, puis une troisième, sans compter qu'il persuade ailleurs qu'il est inutile d'en faire une. De quelque biais qu'on le prenne, il paraît extraordinaire. Tantôt on comprend son oeuvre comme une promenade à la fois très assurée et très inquiétante à travers toutes les conceptions humaines dont sont pénétrés comme d'un seul regard les grandeurs, les faiblesses, le ressort puissant, le vice secret. Tantôt on la voit comme un monument très ordonné et très régulier, construit d'après les lois d'une logique dogmatique impérieuse, construction solide et immense, qui, encore, a laissé autour d'elle d'énormes matériaux à construire des édifices tout différents.

C'est un livre si vaste et si fourni qu'il forme système, se suffit à lui-même, et aussi qu'il se réfute, ce qui est une façon de dire qu'il se complète. Ne le prenez pas pour l'ouvrage d'un théoricien uniquement épris d'idées pures, agençant la machine sociale comme par données mathématiques. Montesquieu est cela, et cela surtout, soit; mais il est autre chose. Il est l'homme qui sait que ces subtiles combinaisons ne sont rien si elles ne sont soutenues et comme remplies de forces vives, vertus ici, honneur là, bon sens et modération ailleurs, énergie morale partout. Il est étrange qu'on ait cru63 qu'à ce livre il manque une morale. L'erreur vient de ce qu'il est très vite dit que le fonds des sociétés est fait de vertus sociales, et un peu plus long de tracer le cadre savamment ajusté où ces vertus s'accommoderont le mieux pour produire leurs meilleurs effets. La partie morale de l'ouvrage peut disparaître, matériellement, à travers la multitude des minutieuses considérations politiques. Mais la morale sociale est le fond même de ce livre et si l'on y peut découvrir comment les meilleures volontés sont au risque de demeurer impuissantes dans une constitution politique mal conçue, ce qui est vrai, et bien important; encore plus y trouvera-t-on comment les meilleurs agencements sociaux restent, faute de grandes forces morales, des ressorts sans moteur et des cadres vides.
Je veux bien qu'on dise que Montesquieu est peut-être un peu trop optimiste. Il l'est de deux manières: par trop croire aux hommes, et par trop croire à lui-même, Il a trop

confiance dans la bonté humaine. En plusieurs endroits de l'Esprit et de la Défense de l'Esprit des Lois, on le voit très préoccupé de combattre Hobbes et la théorie du «Bellum omnium contra omnes». L'homme naturel, «sorti des mains de la nature», comme on dira plus tard, n'est point pour lui un loup en guerre contre d'autres loups pour un quartier de mouton; c'est un être timide et doux, et c'est l'état de société qui a créé la guerre. Il y a dans Montesquieu un commencement de Jean-Jacques Rousseau, ce qui tient, du reste, à ce que toutes les grandes idées modernes ont leur commencement dans Montesquieu.

Encore n'est-ce point tant de n'avoir point fait assez grande la part de férocité dans l'homme que je reprocherai à Montesquieu, étant très enclin à penser comme lui sur cette affaire. Je lui reprocherai plutôt de n'avoir pas fait assez grande la part de démence. L'homme n'est point un fauve; mais c'est un être très incohérent, en qui rien n'est plus rare que l'équilibre des forces mentales, et en un mot la raison. Montesquieu croit un peu trop que l'homme est capable de se gouverner raisonnablement, et que, parce qu'un système politique raisonnable, par exemple, peut être connu par un homme, il peut et doit être pratiqué par les hommes. Il y a beaucoup à parier que c'est une noble erreur. Avec un esprit comme celui de Montesquieu il ne faut point se hasarder, et vous pouvez être sûr qu'il connaît votre objection mieux que vous. Je sais très bien que ce gouvernement raisonnable qu'il construit et qu'il enseigne, il le tient lui-même pour une «réussite» extraordinaire, pour un merveilleux accident dans l'histoire humaine, qui est l'histoire du despotisme. Encore est-il qu'il semble trop croire, comme à des réalités et non pas seulement comme à des théories, à la vertu des démocraties, à la modération des aristocraties, surtout à la capacité politique des foules. Il a affirmé très énergiquement que le peuple ne se trompe point dans le choix de ses représentants, et il en donne comme exemple Athènes et Rome, ce qui est bien un peu étrange. Pour Athènes, cela ne peut pas se soutenir, et figurez-vous Rome sans le Sénat. J'ai parfaitement peur de ne pas comprendre et de faire une critique qui ne prouve que ma sottise; mais enfin je le vois réclamer le jury avec insistance (xi, , alinéas , , ,) et vouloir en même temps (alinéa) que le verdict ne soit que l'application stricte et comme aveugle d'un texte précis, sans être jamais une «opinion particulière du juge». Croit-il donc qu'un jury sera assez philosophe pour juger sur texte sans passions et sans préjugé? Ne voit-il pas que c'est précisément avec le jury que les jugements seront toujours des opinions particulières, et que c'est avec lui, fatalement, qu'on sera toujours jugé «en équité»? Qu'on préfère cette manière de juger, je le veux bien; mais que ce soit l'homme qui n'en veut point qui recommande des juges incapables d'en avoir une autre, cela m'étonne.

Il y a certainement un peu de chimérique dans Montesquieu, un peu de l'homme qui n'est pas moraliste très informé ni très sûr. Je serais tenté de dire que ses admirables qualités d'esprit et de caractère lui sont source d'erreur, en ce qu'à les voir en lui, il se persuade qu'elles sont communes. Il est souverainement intelligent et merveilleusement à l'abri des passions: il est un peu porté à en conclure que les hommes sont assez intelligents et peu passionnés. Cher grand homme, c'est faire trop petite la distance qui vous sépare de nous. L'erreur est bien naturelle à l'homme; puisque posséder la vérité intellectuelle et la vérité morale, cela mène encore à une illusion, qui est de croire que la vérité est commune. Faudrait-il aux hommes parfaits un peu d'orgueil et de mépris, c'est-à-dire un défaut, pour être tout à fait dans le vrai? Peut-être bien.

J'ai dit que Montesquieu est trop optimiste en ce qu'il croit trop aux hommes, ce aussi en ce qu'il croit trop en lui. J'entends par ceci qu'il croit peut-être trop à l'efficace de son système, quand il en est à faire un système. Encore une fois, avec lui, il faut bien prendre ses précautions, et retirer à moitié sa critique au moment qu'on l'aventure. Je sais qu'il a un fond ou plutôt un coin de scepticisme, et qu'il dit tout d'abord que le meilleur gouvernement est celui qui convient le mieux à tel peuple. Et cependant il est si bon théoricien qu'il lui est difficile de ne pas avoir confiance dans l'excellence de sa théorie, de ne pas croire, au moins à demi, qu'elle peut suffire et se suffire, et qu'un Etat bien organisé par lui serait, par cela seul, un très bon Etat. Il lui échappera de dire que dans «une nation libre il est très souvent indifférent que les citoyens raisonnent bien ou mal; il suffit qu'ils raisonnent: de là sort la liberté qui garantit des effets de ces mêmes raisonnements»De là sort la liberté, ou plutôt c'est la liberté même, d'accord; mais «qui garantit des effets des mauvais raisonnements», je n'en suis pas bien sûr. Voilà bien le point dogmatique, car il faut toujours qu'on en ait un, voilà bien le point dogmatique de Montesquieu. Il déteste tant le despotisme qu'il finit par croire presque que la liberté est un bien en soi, par conséquent un but, et que pourvu qu'on l'atteigne tout est gagné. Je ne sais trop. Il me semble que la liberté n'est point précisément un but, mais un état, un «milieu», comme on dit maintenant, où la raison peut s'exercer mieux qu'ailleurs, pourvu qu'elle existe; mais que, cet état favorable une fois obtenu, il n'est point indifférent qu'on y raisonne mal ou bien.

Sa conception même de la liberté a quelque chose de «formel»; et, comme tout à l'heure il prenait pour la perfection sociale la condition qui peut y conduire, de même il prend pour la liberté ce qui n'est que la formule de son exercice. Elle est selon lui «le droit de faire ce que la loi ne défend pas». Il est vrai, et c'est là le signe à quoi l'on connaît un despotisme d'un État libre; mais si toute la liberté était là, il ne pourrait donc pas y avoir de lois despotiques? On sent bien qu'il peut en être.C'est que la liberté n'est pas seulement le droit de n'obéir qu'à la loi, elle est la capacité de faire des lois qui ne ressemblent pas à un despote. Elle est un sentiment d'équité et de justice partant de la majorité des citoyens, se déversant et se fixant dans la loi, et revenant aux citoyens sous forme de lois justes, sous lesquelles ils se sentent libres et organisés selon l'équité.Elle n'est pas une forme de constitution, elle est une vertu civique. Un peuple despotique dans l'âme peut renverser le despotisme; après quoi, il fera immédiatement des lois despotiques. Aussitôt qu'il ne subira plus la tyrannie, il l'exercera, et contre lui-même; car la majorité est solidaire de la minorité, les oppresseurs sont solidaires des opprimés; la loi tyrannique que vous faites vous met, avec celui-là même que vous liez, dans un état violent dont est gêné le peuple entier où une violence existe, dans une sorte d'état de guerre où l'on souffre autant de la guerre qu'on fait que de celle qui vous est faite.

Cette idée, il ne me semble point que Montesquieu l'ait eue. Ce domaine réservé des droits individuels devant lequel doit s'arrêter même la loi, il ne me paraît pas qu'il le connaisse. Cette idée que la liberté est avant tout mon droit senti par un autre, c'est-à-dire un respect et un amour réciproques de la dignité de la personne humaine, c'est-à-dire une solidarité, c'est-à-dire une charité, il l'a eue peut-être; car il déteste trop le despotisme pour ne l'avoir pas au moins confusément sentie; mais il ne l'a pas exprimée.

Et, après tout, c'est encore un grand libéral; car cette forme et ce mécanisme social où la liberté vraie s'exerce, ces conditions les meilleures pour que l'idée libérale puisse se dégager et venir remplir et animer la loi, il les a si bien comprises, si bien ménagées, si délicatement et prudemment et fortement établies, qu'il suffirait d'un minimum de libéralisme dans l'âme de la nation, pour qu'en un pareil système il eût tout son effet, et parût presque plus grand dans ses effets qu'il n'était en soi. C'est la forme de la liberté, qu'il nomme liberté; mais ici la forme sollicite le fond, et semble presque le contraindre à être.

Voilà ce que j'appelais une trop grande confiance dans les systèmes politiques qu'il préconise, de même que je le trouvais un peu trop optimiste aussi dans l'idée qu'il a de la capacité politique des peuples. Remarquez que ces deux optimismes se confondent, l'un supposant l'autre. Quand il nous dit qu'un peuple est capable de la liberté, c'est qu'il le voit dans l'organisation sociale, rêvée par lui, qui est la plus propre à maintenir un peuple dans l'état libre; quand il trace le cadre d'une constitution libre, c'est qu'il croit qu'il suffit presque de l'offrir à un peuple pour que demain il en soit digne. «Donnez aux hommes, semble-t-il dire, les procédés pratiques pour n'être ni tyrannisés ni tyrans, ils ne seront ni l'un ni l'autre; car ils en ont en eux les moyens.» C'est dans ces derniers mots qu'est l'optimisme, peut-être aventureux.

Mais disons-nous bien que Montesquieu est ici comme dans la nécessité de son office. On ne peut pas être sociologue sans un peu d'optimisme. C'est pour cela que Voltaire n'a pas été sociologue. On ne saurait écrire une politique, c'est-à-dire un code sans sanction, une législation supérieure ne pouvant s'imposer aux hommes que par l'éclat de la vérité qu'elle porte en elle, sans croire que les hommes sont séduits à la vérité rien qu'à la voir. Si l'on croit à la fatalité des instincts humains, on sera peut-être historien, non sociologue. On ne dira point aux hommes ce qu'ils doivent faire; on les regardera faire; et, tout au plus, on indiquera les lois habituelles de leurs errements, les chemins ordinaires par où ils passent. Cela est si vrai que c'est souvent ce que fait Montesquieu, n'étant sociologue qu'une partie du temps et comme dans ses moments de confiance, de haute bonne humeur. L'optimisme est comme une condition, non seulement du novateur, cela est évident, mais de tout sociologue dogmatique. Bossuet est optimiste au plus haut point. Il croit que tout, même le mal, est réglé et voulu par une parfaite intelligence en vue d'une fin supérieure; et par conséquent que tout est bien. Montesquieu qui semble croire en Dieu, mais non pas à la Providence, ne peut pas mettre son optimisme dans le ciel; et il reste qu'il le mette sur la terre.

VIII

«Encore une fois, je le trouve grand», comme disait Fénelon d'un autre, et c'est bien la dernière impression. L'idée de grandeur est surtout inspirée par la noble empreinte de l'intelligence, et ce que Montesquieu a été, c'est surtout un homme souverainement intelligent. Il est impossible de trouver quelqu'un qui ait mieux compris ce qu'il comprenait, et pour ainsi dire ce qu'il ne comprenait pas. Sa pensée et le contraire de sa pensée, son système, et ce qui est le plus opposé à son système et ceci, et son contraire et, ce qui est le plus difficile, l'entre-deux, il pénètre en tous ces mystères, et s'y meut avec une pleine liberté, comme entouré d'un air lumineux, qui émane de lui.

On sent qu'il n'y a pas eu de vie intellectuelle plus forte, plus intense, et, avec cela, plus libre ni plus sereine. Personne n'a plus délicieusement que lui, à l'abri des passions, joui des idées. Voir les idées sourdre, jaillir, abonder, s'associer, se concerter, conspirer, former des groupes et des systèmes, et comme des mondes; voir «tout céder à ses principes», «poser les principes et voir tout le reste suivre sans effort»; et aussi n'être point esclave de ses principes, et savoir s'y soustraire, et en aborder d'autres, et dans un ordre d'idées qui n'est point celui qu'il préfère, ouvrir des voies que ce sera une gloire à ses successeurs seulement de suivre; ce jeu agile et sûr de l'intelligence est pour lui comme une sorte de délice, une ivresse calme et subtile. Le seul transport lyrique qu'il ait connu lui est inspiré par cette manière de ravissement de l'intelligence jouissant d'elle-même comme d'un sens aiguisé et affiné. Il s'arrête au milieu de son long travail pour s'écrier: «Vierges du mont Piérie, entendez-vous le nom dont je vous nomme? Je cours une longue carrière, je suis accablé de tristesse et d'ennui. Mettez, dans mon esprit ce charme et cette douceur que je sentais autrefois et qui fuient loin de moi. Vous n'êtes jamais si divines que quand vous menez à la sagesse et à la vérité par le plaisir... Divines muses, je sens que vous m'inspirez... Vous voulez que je parle à la raison: elle est le plus parfait, le plus noble et le plus exquis de tous les sens.»

I a parlé à la raison; pendant vingt années il a eu avec elle un entretien continu, plein de sincérité, d'abondance de coeur, d'infinis et renaissants plaisirs. Il s'éveillait «avec une joie secrète de voir la lumière», et son âme aussi voyait avec une joie pleine et une sorte d'élargissement se lever en elle à chaque jour la lumière pure d'une idée nouvelle. Il s'est pénétré d'idées et en a fait comme sa substance. Il a cru qu'elles devaient gouverner le monde, ce qui est peut-être vrai, et qu'elles pouvaient facilement le gouverner, parce qu'il était tout entier gouverné par elles. Il a voulu mettre dans l'organisation du monde beaucoup de raison, et même beaucoup de raisonnement, parce que, si le raisonnement n'est pas la raison, il en est la marque, ou, du moins, le signe qu'on la cherche.

Il est si prodigieux pour son temps qu'avant lui on ne se doutait même pas de la science où il reste le maître. Il inspire le temps qui le suit, tout en le dépassant, à ce point que

Rousseau ne fait que pousser à l'extrême et mettre en système une des idées de Montesquieu, presque dédaignée par lui parmi tant d'autres. Après avoir cherché loin de lui sa lumière, la France revint à lui, et longtemps chercha à s'organiser selon sa pensée; et maintenant qu'elle l'a définitivement abandonné, quelques-uns se demandent si elle a raison, si notre histoire même a raison contre lui. Et à mesure que sa pensée devient moins applicable, que ce soit par sa faute ou par la nôtre, elle n'en paraît que plus belle, devenant purement artistique, et comme l'esquisse lumineuse d'un idéal.

On ne peut lui reprocher d'avoir embrassé trop de choses pour avoir pu tout approfondir. Il court trop vite au travers de la multitude d'objets qu'il rencontre. «Il annonce plus qu'il ne développe», dit admirablement Voltaire. Et encore on sent bien qu'il y a là insuffisance de nos yeux et non des siens. Tout ce qu'il a vu, il l'a pénétré; il a seulement trop compté que nous le pénétrerions aussi vite et aussi à fond que lui. «Je suis, dit-il lui-même, avec son esprit charmant, comme cet antiquaire qui partit de son pays, arriva en Egypte, jeta un coup d'oeil sur les Pyramides, et s'en retourna.»Je n'aime pas à le contredire, et je veux bien qu'il soit comme cet antiquaire; seulement il a été dans tous les pays, et il a vu toutes les Pyramides, et il les a mesurées toutes, et surtout les plus hautes.

VOLTAIRE

I

L'HOMME

Je suppose en un vieil émigré sortant d'une représentation du Bourgeois gentilhomme, et je l'entends dire: «C'est une très jolie satire. Elle me rappelle M. de Voltaire, comte de Tournay.»Le propos est injurieux; mais il y a du vrai. Voltaire est avant tout un bourgeois gentilhomme français du temps de la Régence, devenu très riche, un peu audacieux, très impertinent, et gardant tous ses défauts d'origine et d'éducation.Seulement c'est un bourgeois gentilhomme très spirituel, ce qui fait qu'il n'a pas eu tous les ridicules, et très intelligent, ce qui fait qu'il a mis un grand talent au service de ses préjugés et a tenu par là une très grande place dans le monde intellectuel.

«Ce que j'aime dans les artistes, c'est qu'ils ne sont pas des bourgeois», dit la bourgeoise Michaud dans Le Buste d'Edmond About. Ce qui distingue d'abord le bourgeois, c'est qu'il n'est pas un artiste. Voltaire n'a pas été artiste pour une obole. Ce qui distingue encore le bourgeois, c'est qu'il n'est pas philosophe. Les hautes spéculations le rebutent. Voltaire n'a aucune profondeur ni élévation philosophique, et la synthèse lui est interdite. Il est évident qu'il ressemble peu à Platon, et nullement à Malebranche.Ce qui marque encore, sans doute, le bourgeois, c'est qu'il est peu militaire. Voltaire a une peur naturelle des coups, et n'a rien d'un chevalier d'Assas, ni même d'aucun chevalier.

Ce qui achève de peindre le bourgeois, c'est qu'il est éminemment pratique. Voltaire est un homme d'affaires de génie, et le sens du réel est son sens le plus développé et le plus sûr, en quoi est une partie de sa valeur, qui est grande. Voltaire est un bourgeois qui a vingt ans en , qui est très ambitieux, très actif, fait sa fortune en quelques années, n'a plus besoin que de considération, la cherche dans la littérature parce qu'il sait qu'il écrit bien, n'a point d'idées à lui, ni de conception artistique personnelle, ni même de tempérament artistique distinct et tranché à exprimer dans ses écrits; mais qui se sait assez habile pour mettre en belle lumière pendant soixante ans, s'il le faut, les idées courantes, et produire des oeuvres d'art distinguées selon les formules connues. Ce n'est pas un monument à élever; c'est une fortune littéraire à faire. Il la fera, comme il a fait l'autre, avec beaucoup de suite, d'ardeur et de décision.

Et il aura toute sa vie les défauts du bourgeois français. Sans être précisément cruel, et même tout en ne détestant point donner quand on le regarde, il sera bien dur pour les petits, et bien méprisant pour la «canaille»; persécuteur, quand il pourra persécuter avec une «suite enragée», comme disait de Saint-Simon le duc d'Orléans. On le verra poursuivre un Rousseau, qui ne lui a rien fait, que lui dire une sottise, avec un acharnement incroyable, le dénoncer comme ennemi de la religion, et, à ce titre, au moment où le malheureux est déjà proscrit et traqué partout, crier qu'il faut «punir capitalement un vil séditieux», ce qui est un peu fort peut-être dans la bouche d'un adversaire de la peine de mort.

: (retour) Sentiment des citoyens .
On le verra, incapable de pardon, dénoncer de Brosses comme un voleur à toute l'Académie française, dans vingt lettres furibondes, parce qu'il a eu un procès de marchand de bois avec de Brosses; tempêter contre Maupertuis par delà le tombeau, vingt ans après la mort du pauvre savant, dans toutes les lettres qu'il écrit à Frédéric; ne jamais manquer de réclamer les galères, la Bastille et le Fort-l'Évêque contre tous les Fréron, Coger, Desfontaines ou La Beaumelle qui le gênent. La prison pour qui l'attaque sera toujours tenue par lui comme son droit strict. Jamais l'idée de la liberté de penser contre lui n'a pu entrer dans son esprit. Ses amis, sur tous les tons, lui disent: «Laissez cela; dédaignez. Si vous croyez que cela vaille la peine....» Il ne veut rien entendre. Il n'a ni le détachement du philosophe, ni l'élévation du vrai artiste. Il ne songe qu'à écraser ce qui, étant au-dessous de lui, ne l'adule pas.

En revanche, il ne songe qu'à aduler ce qui, à quelque titre que ce soit, est au-dessus. Empereurs, impératrices, rois, princes, grands-ducs, ducs, maîtresses des rois, et que ce soit Catherine II, Pompadour, Frédéric ou Du Barry, pour ceux-là les apothéoses sont toujours prêtes, et de ceux-là les familiarités, même meurtrissantes, toujours bien reçues. Frédéric l'a traité comme un valet; mais à celui-ci on pardonne, «et la moindre faveur d'un coup d'oeil caressant nous rengage de plus belle.»«Il fut donné à celui-ci de tromper les peuples»; mais non point de prévaloir contre les rois.Richelieu ne lui paye point les intérêts de son argent, et lui joue d'assez mauvais tours. Mais que voulez-vous qu'on dise à «un homme qui parle de vous dans la chambre du roi», si ce n'est merci?Mme du Deffand lit Fréron avec délices et daube Voltaire avec complaisance. Mais une marquise, et qui reçoit si bonne compagnie, et qui a si grande influence! On n'en sera que plus galant avec elle. Nul homme n'a reçu de meilleure grâce les petits coups de pied familiers des puissances. C'est même alors qu'il est tout à fait charmant, et spirituel. Car «l'esprit est une dignité», qui supplée à l'autre.

C'est même alors qu'il devient meilleur. Il ne veut pas recevoir la souscription de Rousseau à sa statue. Dix fois Dalembert lui écrit: «Mais si! cela fait honneur à Rousseau de souscrire. Cela vous fera honneur de pardonner, et d'accepter.» La raison de sentiment le touchant peu; il redouble de colère. Mais Dalembert s'avise de lui écrire: «Rousseau, quoique exilé, se promène dans Paris la tête haute. Jugez s'il est protégé!» Voltaire n'insiste plus. Il n'a point pardonné Mais il s'adoucit. Il est des cas où il sait se vaincre. Il a le mépris pour le vaincu devant le vainqueur. Rien ne lui a plus agréé que le partage de la Pologne, parce que c'est une belle manifestation de la force, et il en félicite Catherine de tout son coeur. La prise de la Silésie est une chose aussi qui a son charme; il prémunit Frédéric contre les remords qu'il en pourrait avoir: «Qu'avez-vous donc à vous reprocher?... Vous vous sacrifiez un peu trop dans cette belle préface de vos Mémoires... N'aviez-vous pas des droits très réels?.... Je trouve Votre Majesté trop bonne...» Sire, dit le renardt vous êtes trop bon roi.

Avec cela, la prudence étant une vertu bourgeoise, il est très prudent. Il l'est jusqu'à l'anonymat perpétuel et le pseudonymat obstiné. Tous ses ouvrages sont des lettres anonymes, à moins qu'ils ne soient signés de noms qui ne sont pas le sien. Du reste, sauf, je crois, la Henriade et sauf, j'en suis sûr, le poème de Fontenoy, il les a tous démentis. Cela ne lui coûte pas, parce que le contraire pourrait lui coûter. Se démentir et mentir, c'est à quoi une bien grande partie de sa vie est occupée. Combler Maffei de compliments sur sa Mérope, et cribler la Mérope de Maffei d'épigrammes dans un ouvrage pseudonyme; dire à Mme de Luxembourg qu'il n'a jamais dénoncé Rousseau; à l'Académie française qu'il a passé sa vie à chanter la religion chrétienne, et à l'univers entier qu'il n'a jamais écrit le Dictionnaire philosophique; conseiller le mensonge aux autres comme une chose qui va de soi, et écrire à Duclos: «Diderot n'a qu'à répondre qu'il n'a pas écrit les Lettres philosophiques et qu'il est bon catholique; il est si facile d'être catholique!»; ce sont là des jeux pour Voltaire.Ce ne lui sont pas même des jeux. C'est sans effort. Voltaire ment comme l'eau coule. Il est menteur à ce point que la notion du mensonge lui est étrangère. Il est tout à fait stupéfait qu'on lui reproche ses pasquinades et ses tartuferies, comme, par exemple, d'offrir le pain bénit et de communier solennellement dans son église. Puisque c'est utile; puisqu'il y aurait danger à ne pas le faire; puisqu'on le chasserait (car il a toujours peur) lui, pauvre vieillard ruiné et sans asile dans toute l'Europe! Ce n'est qu'un acte de haute philosophie pratique.

Et il s'admire dans sa sagesse, dans cette vie si bien conduite, troublée quelquefois par le noble souci de plaire au «Trajan» de Versailles ou au «Salomon» de Potsdam, et le désagrément de n'y pas réussir; mais habile en somme et avisée et qui finit bien, et qui finit tard.

Il a été doux envers la mort des autres; il a écrit le janvier : «J'ai perdu Mme de Fontaine-Martel: c'est-à-dire que j'ai perdu une bonne maison dont j'étais le maître et quarante mille livres de rente qu'on dépensait à me divertir.... Figurez-vous que ce fut moi qui annonçai à la pauvre femme qu'il fallait partir.... J'étais obligé d'honneur à la faire mourir dans les règles.... Je lui amenai un prêtre.... Quand il lui demanda si elle était bien persuadée que Dieu était dans l'Eucharistie, elle répondit: «Ah! oui!» d'un ton qui m'eût fait pouffer de rire dans des circonstances moins lugubres».Il voit arriver sa propre mort avec une gaîté moindre; mais il lui fait encore bonne figure. Il regarde ce peuple de laboureurs et d'artisans qu'il a créé autour de lui, ces beaux domaines, ces fabriques, cette ville florissante qui est son oeuvre, et son rempart. Il fait du bien en s'enrichissant et en criant qu'il se ruine. Ce sont trois jouissances. Il écrit pour deux ou trois innocents condamnés, ce qui restitue sa popularité, satisfait ses rancunes contre la magistrature, lui sera compté par la postérité comme s'il n'avait fait autre chose de toute sa vie, et ce qui, du reste, est très bien. C'est une conscience qu'il se fait sur le tard, et une estime de soi qu'il se ménage au dernier moment, et certes, c'est la seule chose qui lui manquât encore. Il est complet désormais; le bourgeois s'est épanoui en gentilhomme terrien, en grand seigneur attaché au sol, bienfaisant et protecteur, ce qui vaut mieux, il le fait remarquer, et il a raison, que de courre la pension et le cordon à Versailles.

Il joue ce rôle, comme tous les rôles, «en excellent acteur», mais un peu en acteur, avec une insuffisante simplicité. Quand il communie à son église, c'est par intérêt, c'est par malice et pour faire une niche à l'évêque d'Annecy; c'est aussi pour s'établir dans le personnage de seigneur, et pour haranguer avec dignité, comme c'est son «privilège», ses «vassaux», à l'issue de l'office.

C'est une belle vie et une belle fin. Il ne lui a manqué qu'une solide estime publique: «Je n'ai jamais eu de popularité, s'il vous plaît, disait Royer-Collard, dites un peu de considération». Pour Voltaire, ç'a été l'inverse. Ne nous y trompons point. Il a occupé et charmé le monde, il ne s'en est pas fait respecter. Cette «royauté intellectuelle», de Voltaire, n'est qu'une jolie phrase. Ses contemporains l'admirent beaucoup et le méprisent un peu. Diderot le méprise même beaucoup, et évite de lui écrire. Duclos se tient sur la réserve et le tient à distance. Dalembert le rudoie durement, à l'occasion, et les occasions sont fréquentes, et d'un ton qui va jusqu'à surprendre. Quant à Frédéric, il ne semble tenir à écrire à Voltaire et lui dire des douceurs, que pour en prendre le droit de le fouetter, de temps à autre, du plus cruel et lourd et injurieux persiflage qui se puisse imaginer. M. Jourdain a eu de durs moments; Roscius a été bien vertement sifflé dans la coulisse; mais qu'importe quand on est applaudi sur le théâtre?Des rois, des princes lui écrivent amicalement, sans doute. Je ferai simplement remarquer qu'autant en advint à l'Arétin, et si l'on examine d'un peu près, on verra que c'est pour les mêmes motifs, et qu'entre l'Arétin à Venise et Voltaire à Ferney il y a des analogies.

C'était un homme très primitif en son genre: il ignorait la distinction du bien et du mal profondément. C'était le coeur le plus sec qu'on ait jamais vu, et la conscience la plus voisine du non-être qu'on ait constatée. Il se relève par d'autres côtés, et nous finirons par le trouver moins noir que je ne le fais en ce moment; parce que l'intelligence sert à quelque chose. Mais le fond du caractère est bien là. Il est peu sympathique et singulièrement inquiétant.

II

SON TOUR D'ESPRIT

Un parfait égoïsme, beaucoup d'intelligence et beaucoup d'esprit se trouvent réunis dans un homme. Que va-t-il sortir de là? Un grand ambitieux ou un grand curieux, ou les deux ensemble. Voltaire a été l'un et l'autre.De l'ambitieux qui voulut être ministre, diplomate, et même homme de guerre, du moins par ses inventions de ses «chars assyriens», nous ne parlerons pas. Pour curieux, éternel et universel curieux, c'est la définition même de Voltaire. D'autres ont un génie de persuasion, un génie d'émotion, un génie de peinture, un génie d'exaltation ou de mélancolie, ou de vérité ou de logique. Voltaire a un génie de curiosité. Ce qu'il veut, après tout avoir, peut-être avant, c'est tout savoir. Je ne fais pas l'énumération; il faudrait aller de l'agronomie à la métaphysique en passant par la musique et l'algèbre, et remplir des pages. Il a touché absolument à toutes choses. Faire le tour de son temps, savoir où en est le monde, tout entier, à l'heure où l'on y passe, ç'a été le rêve de quelques hommes d'audaces, très rares, et ç'a été son effort, et presque son succès.Seulement, d'abord il était pressé; ensuite il vivait en un temps où, déjà, ces tentatives étaient condamnées à être vaines; et enfin il n'aimait pas. Il n'aimait pas; il était égoïste, et voilà pourquoi ce génie universel a été étroit; universel par dispersion, étroit, borné et sans profondeur sur chaque objet. Pour comprendre à fond quelque chose,que vais-je dire là, et qui peut rien comprendre à fond?pour pénétrer seulement assez loin dans une étude, la première condition est le détachement, le renoncement, l'oubli de soi. Voltaire est superficiel parce qu'il est incapable de dévouement. Il y a un dévouement intellectuel, un amour passionné pour les idées, une joie profonde à sentir qu'on n'est plus soi-même, mais l'idée qu'on a eue, et qui à son tour vous possède, une abolition de l'égoïsme dans l'ivresse d'embrasser ce que l'on croit être le vrai. Songez au bonheur sensuel (ce sont ses expressions) que Montesquieu éprouve à chérir les théories qui enchantent son esprit, à jouir pleinement et infiniment de sa «raison, le plus noble, le plus parfait, le plus exquis de tous les sens». Certes, en de pareils moments, les plus voluptueux qui soient ici-bas, le détachement, pour un homme comme lui, est absolu, le renoncement parfait et facile, la personnalité délicieusement oubliée et détruite;et ce sont ces moments que Voltaire n'a jamais connus.

La curiosité n'y suffit point, quoique, déjà, ce soit une très haute distinction. Il y faut davantage; et c'est à ce degré que Voltaire ne s'est pas élevé. Il s'éprend des idées avec avidité, non avec enthousiasme; il a du plaisir à penser, non du bonheur; et toutes les idées l'attirent et aucune ne le retient, et, partant, il sera tour à tour, très vivement et courtement séduit par l'une, et, sans s'en apercevoir, par la contraire; et de chacune il aura saisi vite et un instant connu, non le fond et l'intimité, mais les brillants dehors, les abords attrayants, presque l'apparence seule, et les contours légers qui la dessinent.Superficiel parce qu'il est étroit, étroit parce qu'il est égoïste, c'est bien l'homme; avec quelle légèreté gracieuse, quel élan preste et précis, quel investissement rapide et vif, à la française et en conquérant qui ne fonde pas de colonies, mais laisse partout son nom éclatant et sonore, je le sais; mais enfin à la course, et avec des oublis, des contradictions, des efforts inutiles, des distractions, et peu de résultats.

Car enfin il a tout regardé, tout examiné, et rien approfondi, ce semble; et qu'est-il?

Est-il optimiste? Est-il pessimiste?Croit-il au libre arbitre humain ou à la fatalité? Croit-il à l'immortalité de l'âme, ou à l'âme purement matérielle et mortelle? Croit-il à Dieu? Nie-t-il toute métaphysique et est-il un pur agnostique, ou ne l'est-il que jusqu'à un certain point, c'est-à-dire est-il encore métaphysicien?En histoire est-il fataliste, ou croit-il à l'action de la volonté individuelle sur le cours des destinées?En politique est-il libéral ou despotiste?En religion, oui, même en religion, est-il abolitioniste radical, ou abolitioniste modéré, c'est-à-dire encore, non pas certes religieux, mais conservateur du culte?Je défie qu'on réponde par un oui ou par un non bien tranché sur aucune de ces affaires, et, selon la question, on sera plus rapproché du non que du oui, ou du oui que du non, et sur certaines à égale distance de l'un et l'autre; mais jamais, si l'on est sincère, on ne pourra adopter la négative certaine ou l'affirmative absolue, et, si on le relit, s'y tenir.

Non pas qu'il soit sceptique, ou qu'il soit «dilettante». Il aime à croire, et il prend les idées au sérieux; il est convaincu, et il est pratique. Ce qu'il dit, il le croit toujours, et ce menteur effronté dans la vie sociale est un sincère dans la vie intellectuelle. Et ce qu'il croit, il le croit jusqu'aux résultats, inclusivement; il désire qu'il passe dans l'opinion des hommes, et de leurs opinions dans leurs actes; il veut ce qu'il pense, ce qui en fait le contraire du dilettante, qui pense ce qu'il veut. Tout à l'opposé du sceptique il a conviction facile; et tout à l'opposé du dilettante il a la conviction impérieuse et visant à l'acte. Seulement ses convictions sont multiples, fugaces, contradictoires et aussi inconsistantes qu'elles sont sûres d'elles-mêmes. Il est de ceux dont on a dit qu'ils changent souvent d'idée fixe. Reprenons, en effet, et examinons dans le détail.

Est-il optimiste? J'ai deux lecteurs: l'un certainement va me répondre oui, l'autre non, selon le livre de Voltaire, Mondain ou Candide, qui l'aura le plus frappé. Voltaire trouve le monde mauvais (Candide), et la société bonne (Mondain); ou le monde bon (Histoire de Jenni), et la société mauvaise (Dictionnaire philosophique, «Méchants»). Il veut que l'homme se trouve heureux (Mondain) et il veut qu'il se méprise (Marseillais et Lion). Très souvent vous le prenez pour un pur Condorcet, optimiste béat qui touche de la main le progrès et la réalisation prochaine de toutes les promesses du progrès. Il vous dira: «J'ose prendre le parti de l'humanité contre ce misanthrope sublime (Pascal); j'ose assurer que nous ne sommes ni si méchants ni si malheureux qu'il le dit...» Et ceci est la tradition de Vauvenargues et le pressentiment de Condorcet, et la transition de l'un à l'autre.Il vous dira: «C'est une étrange rage que celle de quelques messieurs qui veulent absolument que nous soyons misérables. Je n'aime point un charlatan qui veut me faire accroire que je suis malade pour me vendre ses pilules. Garde la drogue, mon ami...» Et ceci est contre Jean-Jacques, ou Pascal, et dit dans la crainte que le pessimisme ne conduise à la religion, comme à ce qui le justifie à la fois, et le répare.Il vous dira: «L'homme n'est point né méchant; il le devient, comme il devient malade... Assemblez tous les enfants de l'univers; vous ne verrez en eux que l'innocence, la douceur et la crainte... L'homme n'est pas né mauvais: pourquoi plusieurs sont-ils infectés de cette maladie, c'est que ceux qui sont à leur tête étant pris de cette maladie, la communiquent au reste des hommes...» Et voilà du pur Rousseau, l'homme né bon et perverti par l'état de société, et corrompu par ses gouvernements, et Voltaire va écrire l'Inégalité parmi les hommes.

Et c'est Candide qu'il a écrit, et il vous dira, ailleurs même que dans Candide: L'homme est fou; «historien, je m'amuse à parcourir les petites maisons de l'univers.» Le monde est un gouffre: «Ubicumque calculum ponas, ibi naufragium invenies. Le monde est un grand naufrage. La devise des hommes est sauve qui peut!» Et dans ses moments de pessimisme il est le plus désespéré et le plus désespérant des pessimistes; et si dans le poème sur le Tremblement de terre de Lisbonne il laisse une place encore, restreinte et précaire, à l'espoir (Tout est bien aujourd'hui, voilà l'illusion; tout sera bien un jour, voilà notre espérance), dans Candide éclate et largement et longuement se déploie le pessimisme absolu, celui qui n'admet ni exception, ni espoir, ni plainte même et blasphème, forme encore, sans le vouloir, de la prière, et partant de l'espérance; ni recours à l'avenir humain, ni recours à l'avenir céleste, ni recours à rien, sinon à la résignation muette, qui n'est que le désespoir, bien plus, qui est comme la lassitude du désespoir.

Est-il déterministe, ou croit-il au libre arbitre humain? J'en suis aux questions où chez lui les plateaux de la balance sont dans le plus parfait équilibre. Il est impossible de savoir ici de quel côté je ne dis pas il penche, mais il serait disposé à pencher. Tout au plus pourrait-on dire, et nous le verrons plus tard, qu'en avançant dans la vie il semble avoir plus incliné du côté du déterminisme. En attendant, pendant cinquante ans, il vous dira, très pratique, et très préoccupé du danger qu'il y aurait pour l'homme à se croire esclave de la force des choses: «Nier la liberté c'est détruire tous les liens de la société humaine.» «Je vous demande comment vous pouvez raisonner et agir d'une manière si contradictoire, et ce qu'il y a à gagner à se regarder comme des tourne-broches lorsqu'on agit comme un être libre.»«Le bien de la société exige que l'homme se croie libre; je commence à faire plus de cas du bonheur de la vie que d'une vérité.»Et il vous dira, bon logicien: une seule action libre «dérangerait tout l'ordre de l'univers.... Si un homme pouvait diriger à son gré sa volonté, il pourrait déranger les lois immuables du monde. Par quel privilège l'homme ne serait-il pas soumis à la morne nécessité que tout le reste de la nature?» La liberté n'est précisément que l'illusion que nous en avons, illusion qui nous est nécessaire, comme d'autres, et qui nous maintient dans l'état où nous devons être pour ne pas mourir: «La liberté dans l'homme est la santé de l'âme.»

Mais l'âme, elle-même, qu'est-elle donc? Une entité, un être en nous qui nous dirige, nous abandonne, et nous survit? Non, et dans cette négation il n'a pas varié. L'âme pour lui est matière pensante, faculté donnée à la matière humaine pour se conduire, comme elle en a d'autres pour se développer et se soutenir. Mais survit-elle à la matière qui se dissout? Est-elle immortelle? Eh non, puisqu'elle n'est qu'une faculté d'une matière essentiellement périssable. Et il insiste cent fois sur cette considération.

Mais si l'âme n'est pas immortelle, il n'y a ni peine ni récompense par delà le tombeau? Qu'importe, reprend Voltaire: «On chantait publiquement sur le théâtre de Rome: Post mortem nihil est....» et ces sentiments ne rendaient les hommes ni meilleurs ni pires. Tout se gouvernait, tout allait à l'ordinaire....»Il importe infiniment, réplique Voltaire, et dans le même ouvrage (Dictionnaire philosophique); je tiens essentiellement à l'âme immortelle parce qu'il n'est rien à quoi je tiens plus qu'à l'Enfer: «Nous avons affaire à force fripons qui ont peu réfléchi; à une foule de petites gens, brutaux et ivrognes, voleurs. Prêchez-leur, si vous voulez, qu'il n'y a pas d'enfer, et que l'âme est mortelle. Pour moi je leur crierai dans les oreilles qu'ils sont damnés s'ils me volent.»Et, donc, en style élevé: «Oui, Platon, tu dis vrai, notre âme est immortelle!»

Dieu est-il? Dieu n'est-il point? Ici c'est l'affirmative qui saute aux yeux d'abord, dans Voltaire, et, tout compte fait, c'est à elle qu'il a toujours aimé à revenir. Mais son idée de Dieu est telle que, sans interprétation abusive et sans chicane, elle ne suggère que l'athéisme. Sa conception de Dieu conduit, d'un seul pas, à le nier, et il est étonnant qu'à croire ainsi en Dieu, il n'ait pas lui-même conclu qu'il n'y en avait point.Son idée de Dieu est d'une part un expédient, et d'autre part, elle est toute disciplinaire, et d'autre part tout en l'air et ne tenant à rien qui la soutienne. Il voit Dieu comme un architecte qui a fait le monde, comme un «horloger» dont l'horloge où nous sommes prouve l'existence. Quand il veut prouver Dieu, il jette un regard rapide sur le monde, y trouve de «l'art», dit que «tout est art dans l'univers» (Histoire de Jenni), et déclare qu'il y a un grand artiste.Mais son raisonnement repose sur des prémisses qu'il a mis tous ses soins à ruiner d'avance. Passer sa vie, ou à bien peu près, à montrer que l'horloge est dérangée et n'a jamais été réglée; et d'autre part, quand l'idée de l'horloger lui vient à l'esprit, vite s'appliquer à admirer l'horloge, c'est à la fois démontrer Dieu, et démontrer qu'on n'y croit point. C'est plaider pour Dieu en prenant à l'inverse les arguments mêmes dont on s'est servi pour lui faire procès. Ce serait perfide si ce n'était léger, et cela va contre le but, puisque cela va par le chemin qu'on prend d'ordinaire pour s'en écarter. C'est dire: Je crois en Dieu. Voir ma conception du monde. Vous vous y reportez et vous la trouvez athéistique.

Cela revient à dire que Voltaire n'a pas l'idée de Dieu présente à son esprit d'une manière constante. Il n'y croit que quand il veut le prouver. Un pessimiste qui croit en Dieu tire l'idée de Dieu du pessimisme même. Le pessimiste qui, quand il songe à enseigner Dieu, reconstruit rapidement un système optimiste, c'est un homme qui ne croit en Dieu que tant qu'il l'enseigne.

L'idée de Dieu, d'autre part, dans Voltaire, est toute disciplinaire. Il tient à un Dieu «rémunérateur et vengeur». Dieu est pour lui un service auxiliaire et supérieur de la police: «Il ne faut point ébranler une opinion si utile au genre humain. Je vous abandonne tout le reste....»«Mon opinion est utile au genre humain, la vôtre lui est funeste....»«Ah! laissons aux humains la crainte et l'espérance!»«Si Dieu n'existait pas, il faudrait l'inventer.» Dalembert et Condorcet tiennent des propos irréligieux à sa table. Il renvoie les domestiques: «Maintenant, Messieurs, vous pouvez continuer. Je craignais seulement d'être égorgé cette nuit....».Mille autres traits; car c'est à cette idée qu'il s'attache de toutes ses forces. Or il n'y en a pas de plus athéistique; car si elle prouvait quelque chose, elle prouverait que Dieu est une invention de la peur, un artifice humain, un expédient social, un instrument de gouvernement, une mesure de salubrité, bref un mensonge utile. Mille athées ont pris immédiatement l'argument de Voltaire pour prouver l'absence réelle de Dieu; et il est bien vrai que dire que si Dieu n'existait pas on l'inventerait, c'est dire qu'on l'invente.

: (retour) Mallet-Dupan témoin oculaire (Mercure Britannique).

C'est dire qu'on l'invente, surtout quand, comme Voltaire, on écrit cent volumes où rien ne mène à lui, ni ne l'inspire, ni ne le suppose, et où au contraire tout, sauf strictement les pages où il est question de lui, l'élimine; où ce qui frappe le plus c'est l'effort incessant pour écarter le surnaturel de l'histoire, du monde et de l'âme.C'est ce qui me faisait dire que chez Voltaire l'idée de Dieu est «en l'air» et ne tient à rien. Elle est une exception à son positivisme habituel. Elle est, aux regards du pur logicien, comme un repentir, une timidité, ou une étourderie.Et précisément l'idée de Dieu est la seule qui ne soit rien si elle n'est pas tout, et celui-là prouve mieux qu'il la possède qui n'en parle jamais, mais dont les idées générales, toutes et chacune, s'y rapportent, et seraient inintelligibles s'il ne l'avait pas.Par où on revient bien à dire que, comme presque toutes les idées de Voltaire, l'idée de Dieu est une idée qu'il croit avoir, et non une idée dont il a pris la pleine possession. C'est un des besoins de ses passions qu'il prend pour une conception de son esprit. Il est théiste comme nous verrons qu'il sera monarchiste, et exactement pour les mêmes causes. Sa religion est une suggestion de ses terreurs et une forme de sa timidité.

Et tout cela se tiendrait encore, satisferait à peu près l'esprit, aurait l'air du moins d'être raisonné, si Voltaire se donnait pour un homme qui connaît son impuissance métaphysique, s'il s'avouait «agnostique» et déclarait modestement ne point pouvoir pénétrer le secret des choses. Il le fait souvent, reconnaissons-le, pour l'en louer. Mais son agnosticisme, comme le reste, est vacillant, intermittent et contradictoire. Souvent il proclame qu'il y a un inconnaissable qui nous dépasse et que nous tâchons en vain à atteindre. Plus souvent il s'y élance avec une audace étourdie, et bâcle une métaphysique comme une tragédie contre Crébillon. Son esprit, vulgaire en cela, il n'y a pas d'autre mot, et semblable aux nôtres, n'avait pas besoin de certitude permanente et soutenue et qui se soutînt; et avait besoin de certitudes d'un jour et d'une heure, d'une foule de certitudes successives, qui au bout d'un demi-siècle formaient un monceau de contradictions. Nous en sommes tous là, je le sais bien; et c'est ce que je dis, et qu'on est un homme comme nous quand on en est là.

Il en va parfaitement de même pour lui en histoire, en politique, en morale, en questions religieuses proprement dites. Est-il un pur positiviste en morale? Il semble que oui; il semble que non. Il semble que oui: il repousse de toutes ses forces les idées innées. L'homme, animal plus compliqué que les autres, mais seulement plus compliqué, est guidé par les instincts divers dont le jeu assure sa conservation, et il n'y a en lui rien de plus. Donc point de lumière spéciale, surnaturelle, qui nous distingue des autres êtres animés. Donc point de loi morale, ce semble; car la loi morale nous distinguerait du monde, nous donnerait un but en dehors du but commun, qui n'est que persévérer dans l'être. Point de loi morale; car ce but autre que celui de persévérer dans l'être, ce n'est pas le monde (qui n'a pas d'autre but que le vouloir vivre) qui pourrait nous l'enseigner;et il faudrait supposer qu'il nous est enseigné par une idée innée, par une révélation, à nous particulière, choses que nous nions qui existent.Point de loi morale.

Si! il y en a une, et Voltaire fait une exception en sa faveur. Pour elle, il supposera une idée innée, une manière de révélation. Dieu a parlé. «Il a donné sa loi»; il «jeta dans tous les coeurs une même semence»; il a mis la conscience en l'homme comme un flambeau. Qu'on ne dise point que la conscience est un effet de l'hérédité, de l'éducation, de l'habitude et de l'exemple, elle est bien un ordre de Dieu à notre âme, non une invention humaine. Et voilà la loi morale établie, et une idée théologique, un minimum, si l'on veut, d'idée théologique admis par Voltaire66.

: (retour) Poème sur la loi naturelle.

Mais cette loi morale, quelle est-elle? La même à Rome qu'à Athènes, comme dit Cicéron, universelle et constante dans l'humanité. Montrez-moi un peuple où le meurtre, le vol et l'injustice soient honorés!Fort bien, et Voltaire répète cela mille fois; mais jamais il ne va plus loin. La loi morale, pour lui, c'est ne pas commettre l'injustice. Or définir la loi morale ainsi, c'est la restreindre; et la restreindre ainsi, voilà que c'est encore la nier. Car si la morale n'est que l'idée qu'il ne faut pas vivre à l'état barbare, il n'est pas besoin d'une loi pour la fonder; elle n'est que l'instinct social, l'instinct de conservation chez un être fait pour vivre en société; l'instinct de persévérance dans l'être, chez un animal qui, s'il ne vivait pas en société, ne vivrait plus. Dire: les hommes n'ont jamais cru qu'ils dussent se détruire les uns les autres, ce n'est donc pas dire autre chose que: les hommes ont toujours vécu en société; ce qui ne signifie pas autre chose que: l'homme existe.Ce n'est pas en tant que résistant à la mort sociale que la morale est une morale, c'est à partir du moment où, le trépas social conjuré, elle va plus loin. Ce n'est pas quand elle dit: ne tue point! qu'elle est une morale; car ne tue point indique seulement que l'homme a envie de vivre; c'est quand elle dit: donne, dévoue-toi, sacrifie-toi. Alors, seulement alors, elle est autre chose qu'un instinct, n'est pas enseignée par la nécessité d'être, ne dérive point de nos besoins mêmes, et semble être une véritable révélation. L'instinct social embrasse et comprend toute la justice, la morale commence à la charité.Or c'est où elle commence que Voltaire n'atteint pas; et voilà qu'après l'avoir niée par ses principes généraux, puis avoir un instant cru l'apercevoir et la proclamer, il se trouve enfin qu'il ne l'a pas connue.

En histoire Voltaire est-il fataliste, providentialiste ou spiritualiste; je veux dire croit-il à une simple série de chocs et de répercussions de faits les uns sur les autres sans qu'aucune intelligence se mêle à leur jeu et sans qu'ils aient aucun but?ou croit-il qu'il s'y mêle, ou plutôt que les embrasse une intelligence universelle, les guidant vers un but connu d'elle, inconnu d'eux?ou croit-il qu'à cette mêlée des événements se surajoutent et s'appliquent, les ployant, les redressant, les dirigeant, en partie au moins, l'esprit humain, l'intelligence indépendante, la volonté éclairée?

Pour ce qui est du providentialisme, la réponse est aisée: Voltaire le repousse absolument. C'est contre «l'homme s'agite, Dieu le mène»; c'est contre le Discours sur l'histoire universelle, c'est contre toute l'idée chrétienne sur l'histoire qu'a été écrit l'Essai sur les moeurs, plus les vingt ou trente petits livres où Voltaire a indéfiniment et cruellement réédité l'Essai sur les moeurs. Ecarter le surnaturel de l'histoire, c'est l'effort tellement incessant de Voltaire qu'on peut quelquefois le prendre pour toute son oeuvre et y trouver l'idée maîtresse de sa vie intellectuelle, qui en réalité n'en a pas eu. S'il croit en Dieu (et il croit qu'il y croit), à coup sûr l'idée de la Providence lui est étrangère absolument, et radicalement odieuse. Il l'a combattue en tous ses livres, et particulièrement, en ses livres d'histoire, avec la dernière énergie.

Et remarquez ce détail. Tout le monde a observé le goût qu'il a pour montrer les grands événements comme des effets de petites causes. Ce goût n'est pas autre chose qu'une forme de ce penchant plus général à écarter le surnaturel de l'histoire. Vous qui aimez à voir dans la série des faits historiques l'effet et le développement de grandes causes très générales, ne voyez-vous point que vous mettez, sans y prendre garde peut-être, des desseins, des plans, ce qui revient à dire des idées, quelque chose d'intellectuel enfin, dans la marche de l'humanité? Vous y voyez des lois. Mais une loi est une idée, et une idée suppose un esprit. Un esprit pensant l'histoire, avant qu'elle commence, pour lui donner sa loi de direction, c'est un Dieu. Vous êtes, sans y songer, au même point de vue, ou de quoi s'en faut-il? que Bossuet écrivant son Histoire universelle.Direz-vous que cette loi que vous voyez dans l'histoire suppose un esprit en effet, mais ne suppose que le vôtre; que c'est vous qui la faites après coup? Alors elle n'est qu'un expédient, elle n'a pas de réalité objective, elle n'est pas en effet dans l'histoire, et vous n'y croyez pas. Mieux vaudrait ne pas l'énoncer, puisqu'elle n'est qu'un mensonge d'art. Ou vous croyez à des lois réelles, c'est-à-dire à intention, plan, direction, but que vous n'inventez pas, que vous retrouvez et démêlez à travers les faits; et alors vous êtes encore, bon gré mal gré, dans un reste de conception théologique;ou vous devez ne voir dans l'histoire qu'une mêlée confuse de chocs et de contre-chocs sans but, sans plans, sans lois, sans signification, et comme un tourbillon d'atomes dans le hasard.

Le meilleur moyen, en matière d'histoire, de combattre et d'extirper le surnaturel, c'est donc de montrer qu'elle est absurde, qu'elle ne porte la marque d'aucune intelligence, que les révolutions des empires y dépendent d'un verre d'eau qui tombe, d'un nez trop court, d'un grain de sable,et c'est ce que Voltaire a aimé à faire. Il se rencontre ici avec Pascal, parce que l'athéisme se rencontre toujours avec Pascal, là où Pascal n'en est qu'à la première partie de son argumentation.

Voltaire est donc radicalement hostile à toute idée de providence dans l'histoire. Est-il donc pur positiviste, pur fataliste? Il devrait l'être. S'il n'y a pas de lois historiques, ne voyons dans l'histoire que le hasard, agglomérations fortuites, dissolutions sans causes, ou ayant pour causes des riens, grands souffles, sautes de vent, remous. Mais il aime trouver l'intelligence dans les objets de son étude, et si d'intelligence générale il n'en voit pas dans l'histoire, il se plaît à y contempler des intelligences particulières. Il est, du moins il veut être, spiritualiste en histoire. Il attribue une immense importance aux hommes d'action, aux rois, aux grands ministres, aux gouvernements. Nous avons vu de lui cette idée curieuse, par où il rejoignait Rousseau, que l'homme est né bon et que de méchants gouvernements l'ont perverti. Les gouvernements ont cette force. Ils pétrissent les hommes. Ils les corrompent parfois, souvent ils les rendent excellents. L'histoire est le domaine et la matière de la volonté de quelques-uns. Idée importante dans Voltaire. Nous la retrouverons dans ses goûts politiques. Voilà pourquoi il a tant aimé les grands princes et a aimé à les voir plus grands qu'ils n'étaient. César, Louis XIV, Pierre le Grand, Frédéric, Catherine, ce sont les héros de sa pensée. C'est que ce sont eux qui ont fait l'histoire, ou qui la font, les démiurges de l'humanité. Il le croit ainsi, et aussi que lui-même en est un. C'est même un peu pour ceci qu'il croit cela.

Seulement voici l'intelligence qui reparaît dans l'univers. Elle reparaît au pluriel. Elle n'est pas universelle; elle est fragmentaire; elle éclate ici et là dans une tête élue; mais elle existe; et désormais elle va embarrasser Voltaire presque autant que l'autre. Son fond d'aristocratisme et de monarchisme va gêner son fond de positivisme et de fatalisme. Il s'arrête donc, le hasard, va-t-on lui dire; son empire est donc suspendu par une grande intelligence unie à une grande volonté, par un grand esprit qui s'élève, fixe le chaos flottant, a un plan, commence un dessein? L'histoire est donc le hasard traversé de temps en temps par le génie? Voilà la providence générale remplacée par des providences particulières, le monothéisme historique remplacé par un polythéisme historique.Voltaire a été, j'avais tort de dire embarrassé, il ne l'est jamais. Il a été partagé sur cette affaire, comme il l'est toujours. Il a beaucoup donné au hasard, il a donné beaucoup au génie. Il est fataliste; et il est spiritualiste, dans le sens que j'ai donné à ce mot. Il parcourt les petites maisons de l'humanité; puis tout à coup salue un grand aliéniste, qui quelquefois n'est qu'un chirurgien. Cela, un peu arbitrairement, et attribuant à un «petit fait» un grand événement dont il pourrait faire remonter la cause à un grand homme. Il passe d'un système à l'autre. Son histoire en devient comme bariolée. Tantôt elle n'est, comme il y tient, qu'un état de moeurs, coutumes, usages, croyances, superstitions, manies d'un peuple en un temps; tantôt elle est, comme il y tient aussi, ramassée autour d'un grand prince, et, pour ainsi dire, en lui.Curieux esprit, souple et fuyant, insaisissable, clair à chaque page, et, les cent volumes lus, laissant l'impression la plus confuse!

En politique que nous enseigne-t-il? Libéralisme ou despotisme? Plus celui-ci que celui-là, sans doute, mais encore les deux. Il n'a pas laissé de donner dans l'optimisme (nous l'avons vu) et par conséquent dans le libéralisme de son temps. Il n'a pas laissé de croire l'homme bon, capable de progrès par l'intelligence et le «lumières». Il le dit, quelquefois: «Non, Monsieur, tout n'est pas perdu quand on met le peuple en état de s'apercevoir qu'il a un esprit. Tout est perdu au contraire quand on le traite comme une troupe de taureaux. Croyez-vous que le peuple ait lu et raisonné dans les guerres civiles de la Rose rouge et de la Rose blanche, dans les horreurs des Armagnacs et des Bourguignons, dans celles de la Ligue?...» On pourrait trouver quelques passages de ce genre dans ses ouvrages. Il aimait même à prononcer le mot de liberté. On ne combat point une autorité, sans se persuader à soi-même qu'on est libéral. Or il combattait énergiquement l'autorité religieuse.Mais il est difficile de savoir ce qu'il entendait par ce mot de liberté. Toutes les formes du libéralisme, c'est-à-dire, sans doute, de quelque chose s'opposant à l'omnipotence de l'Etat, lui sont odieuses. Il a détesté les Parlements, les Etats généraux et la liberté de la presse. On peut citer, de la Henriade, une jolie définition, et élogieuse, du gouvernement parlementaire anglais; mais s'il faut prendre la Henriade pour autorité en matière politique, on y trouve aussi cette jolie épigramme contre le gouvernement par les assemblées:

De mille députés l'éloquence stérile
Y fit de nos abus un détail inutile:
Car de tant de conseils l'effet le plus commun,
Est de voir tous nos maux sans en soulager un.
Pour dire tout un peu courtement, mais assez juste, Voltaire ne s'est pas appliqué à la politique. Il y entrait peu, et ne la goûtait pas. Il n'en a pas les premières notions. Il n'a exactement rien compris à l'Esprit des lois, et il fallut lui faire remarquer que le Contrat social était quelque chose. Quand il prétend réfuter, en passant, Montesquieu, il est un peu ridicule. Il observe que le gouvernement turc n'est point si despotique qu'on le veut bien dire, puisqu'il est tempéré par les janissaires. Il le dit sérieusement; c'est à ces hauteurs qu'il s'élève. Incertitude, ici comme partout, mais surtout moitié ignorance, moitié mépris. Voltaire en science politique n'a absolument rien à nous apprendre.

En questions religieuses, enfin, il sait ce qu'il veut, sans doute. Il faut reconnaître que la guerre au surnaturel a été sa grande tâche, et préférée. Sa conception de l'histoire intellectuelle de l'humanité est celle-ci:

Antiquité: point de surnaturel; un merveilleux d'imagination inventé par les poètes, utile aux beaux-arts, et parfaitement inoffensif; tolérance absolue; liberté de conscience indiscutée; sauf les guerres de conquête, paix profonde; bonheur.Christianisme: apparition de la croyance au surnaturel dans le monde. Dès lors «les deux puissances», la spirituelle et la temporelle; monde déchiré, guerres pour des idées, et pour des idées qu'on ne comprend pas, persécutions, oppressions, assassinats, bûchers, barbarie, enfer sur la terre.Temps modernes: expulsion du surnaturel, «écrasement» d'une des puissances, omnipotence de l'autre, retour à l'antiquité, paix, bonheur.

Voilà, certes, qui est faux, sans doute, mais qui est net. C'est une conception d'ensemble qui est claire, c'est une idée générale qui est précise, chose si rare dans Voltaire. Cela se tient, cela fait corps; Victor Hugo en fera de beaux poèmes toute sa vie; cela enfin peut se soutenir.Eh bien! il ne l'a pas soutenu. La conclusion c'est: «écrasons l'infâme!» et il a dit mille fois «Ecrasons l'infâme!»; mais il a dit assez souvent de ne pas l'écraser. Il veut le maintien, non pas seulement de l'idée de Dieu, comme nous l'avons vu, mais de la religion pour la foule. «Il faut une religion pour le peuple», le mot fameux est de lui. Il faut une religion pour la canaille, «qui sera toujours la canaille, et qui ne sera jamais éclairée», etc.Ici la contradiction est énorme en raison même de la hardiesse de l'affirmation de tout à l'heure, maintenant démentie. S'il est vrai, non d'une vérité de théorie, de spéculation et de souper, mais vrai historiquement et dans le réel, que les hommes, les hommes en chair, les hommes qui vivent et souffrent, ont reçu un accroissement de souffrance du christianisme et des notions trop subtiles et dangereuses pour eux à manier qu'il apportaitce que j'admets qu'on peut prétendresi cela est vrai, ou si l'on en est convaincu, il ne s'agit pas de réserver cette vérité à une aristocratie de beaux esprits, et d'en écrire des Ingénus; il faut sauver ces hommes qui pâtissent et les arracher à leur torture.Dire: il faut un Dieu... pour le peuple, ce n'est pas trop loyal; mais j'admets cela. Dieu consolateur vague, Dieu rémunérateur et punisseur lointain, que vous n'y croyiez guère et que vous vouliez que les simples y croient, c'est un dédain, peut-être une pitié: ce n'est pas une cruauté.Mais dire: l'histoire, la réalité terrestre, est atroce à partir du Christ; il convient qu'elle cesse pour nous; et il nous est utile que pour les humbles elle continue; c'est cela qui est monstrueux.

Et ce n'est pas monstrueux, parce que c'est de Voltaire. Il est trop léger pour être cruel. Il dit des choses énormes en pirouettant sur son talon. Mais il est admirable pour se contredire; pour aller d'un bond jusqu'au bout d'une idée et d'un autre élan jusqu'au bout de l'idée contraire; pour être inconséquent avec une souveraine intrépidité de certitude; pour être athée, déiste, optimiste, pessimiste, audacieux novateur, réactionnaire enragé, toujours avec la même netteté de pensée et de décision d'argument, toujours comme s'il ne pensait jamais autre chose, ce qui fait que chaque livre de lui est une merveille de limpidité, et son oeuvre un prodige d'incertitude. Ce grand esprit, c'est un chaos d'idées claires.

III

SES IDÉES GÉNÉRALES

Ce qu'il y a au fond de tout cela, c'est l'égoïsme, comme je l'ai dit, l'égoïsme vigoureux, et exigeant, devenant toute une philosophie. A se placer à ce point de vue les contradictions disparaissent. Les besoins ou les goûts de M. de Voltaire sont la mesure de toutes ses idées, les créent, les déterminent, et font qu'elles concordent. C'est un grand bourgeois; il est riche, il aime le monde, le luxe, les arts, les conversations libres entre «honnêtes gens», le théâtre, et la paix sous ses fenêtres. Tout ce qui contribuera à ces goûts ou concordera avec eux sera vrai, tout ce qui les contrariera sera faux.Comme il n'a pas d'imagination, il n'a pas beson de merveilleux, et de surnaturel; donc il n'y a pas de religion.Comme il a de la curiosité, qu'il aime le théâtre, et qu'il n'est pas très rigoureux sur la règle des moeurs, il n'aime guère une religion hostile à la curiosité, au spectacle et au libertinage; donc il ne faut pas de religion.Comme il aime que le peuple le laisse tranquille, il aime tous les freins qui peuvent contenir le peuple; donc il faut une religion. Comme il déteste les guerres civiles, il a horreur de ce qui en a excité et qui peut en déchaîner encore; donc il ne faut pas de religion, etc.Le principe est constant, ce n'est pas sa faute si les conséquences sont contradictoires.

Comme il est grant bourgeois, à demi gentilhomme et né dans un siècle où cette classe peut parvenir à tout, il n'est nullement adversaire de l'aristocratie dont il sent qu'il est; de la monarchie qui ne laisse pas de s'être faite à demi bourgeoise. Remarquez que Louis XIV est son Dieu, pour les mêmes raisons qui empêchaient Saint-Simon d'aimer Louis XIV. Ce qu'il aime, c'est «ce long règne de vile bourgeoisie» (Saint-Simon), où Colbert, Louvois et Chamillart sont ministres, Molière, Boileau et Racine favoris. Remarquez que Louis XV et Louis XVI sont rois de la noblesse beaucoup plus que Louis XIV, et que c'est pour cela qu'il les aime moins. Remarquez qu'il se préparait à écrire une réfutation de Saint-Simon, alors récemment connu, quand il est mort.

Quant à la démocratie, pourquoi l'aimerait-il? Il la prévoit niveleuse, et il est riche; peu littéraire, ou ayant tendresse pour la littérature médiocre, et il est un fin lettré; bruyante, et il chérit la paix; aimant mieux les phrases que l'esprit, et il est spirituel et «n'a pas fait une phrase de sa vie».Et certes, mieux vaut entrer dans une aristocratie de gouvernement despotique, c'est-à-dire ouverte au talent, à la richesse et aussi à la flatterie, qu'être englouti dans une démocratie peu clairvoyante sur ces divers genres de mérite.Donc Louis XIV, Catherine, Frédéric s'il avait bon caractère, Louis XV s'il voulait ressembler à Louis XIV. Donc il faut une aristocratie sous un despote, une aristocratie dont un despote ouvre les rangs pour qui lui plaît.Mais point de corps privilégiés, point de parlements, point de clergé autonome, ni «deux puissances», ni «trois pouvoirs». A quoi serviraient-ils qu'à être des obstacles au gouvernement personnel, sans profit appréciable pour un homme comme M. de Voltaire; et dès lors que signifient-ils? Point d'aristocratie indépendante, sous aucune forme. Montesquieu est à peu près inintelligible.

Cette inaptitude radicale à sortir de soi est tout Voltaire. Elle fait son caractère, elle fait sa conduite, elle fait sa politique; mais, vraiment, elle fait aussi son histoire et sa philosophie. Elle devient, en considérations historiques, en philosophie, bref en idées générales, une manière d'anthropomorphisme un peu naïf, un peu étroit et à courtes vues, qui est bien curieux à considérer. L'homme est anthropomorphiste naturellement, fatalement, par définition, et presque par tautologie, parce qu'il est homme. Il ne peut s'empêcher, ni de se regarder comme le centre de l'univers, et son but et sa cause finale;ni de se tenir pour le modèle de l'univers, ne réussissant jamais à rien voir dans le monde qu'il ne suppose constitué comme lui.Voltaire lui-même a bien spirituellement indiqué cette tendance primitive et inévitable de l'esprit humain. Une taupe et un hanneton causent amicalement dans le coin d'un kiosque: «Voilà une belle fabrique, disait la taupe. Il faut que ce soit une taupe bien puissante qui ait fait cet ouvrage.Vous vous moquez, dit le hanneton; c'est un hanneton tout plein de génie qui est l'architecte de ce bâtiment.» Nous sommes tous hannetons et taupes en cette affaire. Seulement nous le sommes plus ou moins selon, je le répète, que nous avons une plus grande ou moindre puissance de détachement. Le lien entre le caractère et l'intelligence est là plus, intimement plus, qu'ailleurs. Voltaire, extrêmement personnel, est anthropomorphiste essentiellement. Il n'a pas assez réfléchi sur les propos de son hanneton.

L'anthropomorphisme, en question d'histoire, consiste principalement à croire que les hommes ont toujours été tout pareils à ce que nous les voyons, et à ce que nous sommes nous-mêmes. Voltaire a dans son personnalisme cette source d'erreurs. Toutes les fois que dans l'histoire quelque chose s'écarte de la façon de penser et de sentir d'un Français de , et particulièrement de la façon de penser et de sentir de M. de Voltaire, il crie; «c'est faux!» tout de suite.«A qui fera-t-on croire?...», «Comment admettre?...», «Il n'y a pas lieu de croire?...» sont les formules favorites de son Essai sur les moeurs. A qui fera-t-on croire que le fétichisme ait existé sur la terre? A qui fera-t-on croire qu'il y ait eu souvent des immoralités mêlées aux cultes religieux? A qui fera-t-on croire que le polythéisme ait été persécuteur? A qui fera-t-on croire que Dioclétien ait fait couler le sang des chrétiens? «Il n'est pas vraisemblable qu'un homme assez philosophe pour renoncer à l'Empire l'ait été assez peu pour être un persécuteur fanatique.»C'est surtout ce grand fait de gens qui ne sont pas des chrétiens persécutant ceux qui ne pensent pas comme eux qui est pour Voltaire un scandale de la raison, et par conséquent une impossibilité, et par conséquent un mensonge. Ce qu'il voit dans l'histoire moderne, c'est des guerres religieuses entre chrétiens; donc il n'y a jamais eu de guerres religieuses qu'entre chrétiens; la persécution est de l'essence du christianisme, a été inventée par lui, et avant lui n'existait pas, et après lui n'existera plus. Le polythéisme a été tolérant, le christianisme oppresseur, la philosophie sera bienfaisante, et voilà l'histoire universelle. Le polythéisme a été tolérant et doux. Qu'on ne parle à Voltaire ni des sacrifices humains de Salamine, ni de la loi d'asébeia comportant peine de mort, ni d'Anaxagoras, ni de Diogène d'Apollonie, ni de Diagoras de Mélos, ni de Prodicus, ni de Protagoras, ni de Socrate. Il ignore, ou il atténue. Dans sa chaleur indiscrète à atténuer les choses, il en arrive même à manquer d'esprit. Sans doute Socrate a bu la ciguë. Mais Jean Huss, Monsieur! Jean Huss a été brûlé. «Quelle différence entre la coupe d'un poison doux, qui, loin de tout appareil infâme et horrible, laisse expirer tranquillement un citoyen au milieu de ses amis, et le supplice épouvantable du feu...!» Entendez-vous l'accent de M. Homais?Qu'on ne parle pas à Voltaire des persécutions subies par les chrétiens pendant quatre siècles, parfois sous les meilleurs empereurs. Ceci précisément devait l'avertir que c'est chose naturelle aux hommes de tuer ceux qui ne pensent pas comme eux; il n'en tire que cette conclusion que les persécutions n'ont pas existé. Il les nie, ou les réduit à bien peu de chose, ou les explique par des motifs politiques, ou, le plus souvent, les passe absolument sous silence. Que des hommes qui ne sont ni jansénistes ni jésuites aient fait couler le sang de leurs adversaires, n'est-il pas vrai que cela ne s'est jamais vu? C'est impossible! Evidemment. Donc c'est l'histoire qui se trompe.

A ne voir ainsi que l'homme de son temps, c'est sur l'homme que Voltaire se trompe. Il ne peut atteindre jusqu'à cette idée que les hommes ont toujours eu et auront toujours le besoin d'assommer ceux qui pensent autrement qu'eux, et que pour eux les plus grands crimes ont toujours été et seront toujours les crimes d'opinion. Chaque grande idée générale qui traverse le monde donne seulement matière à ce besoin impérieux de l'espèce. Aucune ne le crée, chacune le renouvelle. Avant le christianisme, le polythéisme a proscrit cruellement, meurtrièrement le monothéisme sous forme philosophique d'abord, sous forme chrétienne ensuite; et le christianisme vainqueur a persécuté le paganisme; et les sectes chrétiennes se sont proscrites les unes les autres; et voilà que le christianisme détruit par vous, vous croyez l'intolérance exterminée du monde, ne sachant pas prévoir, comme vous ne savez pas voir juste dans le passé, et ne vous doutant point qu'après vous l'on va s'assassiner pour des idées comme auparavant; que, seulement, les théologiens seront remplacés par des théoriciens politiques, et le crime d'être hérétique par celui d'être aristocrate.

Cette étroitesse d'esprit va plus loin. Elle s'applique à l'histoire naturelle comme à l'histoire. Comme Voltaire est incapable de sortir des idées de son temps pour comprendre le passé historique, tout de même il est incapable de dépasser l'horizon de son siècle pour comprendre ou imaginer le passé préhistorique. Les théories de Buffon paraissent extravagantes. Quoi! La mer couvrant la terre tout entière, les Alpes sous les eaux; il en reste des coquillages dans les montagnes! Quelle plaisanterie!On lui montre les fossiles. Il ne veut pas les voir. Laissez donc: ce sont des coquilles de saint Jacques jetées là par des pèlerins revenant de Terre Sainte.Et cet autre, avec sa génération spontanée et ses anguilles nées sans procréateurs! Ce n'est pas même à examiner.Et cet autre qui croit à la variabilité des espèces, et que les nageoires des marsouins pourraient bien être devenues avec le temps des mains d'hommes de lettres et des bras de marquise. Quels fous!Investigations curieuses pourtant, hypothèses fécondes dont un renouvellement de la science, et un peu de l'esprit humain, pourra sortir, et que, là-bas, un Diderot accueille avec attention, examine avec ardeur, homme nouveau, lui, vraiment moderne, donnant le branle à la curiosité publique, et, ce que vous n'êtes en rien, précurseur.

C'est encore à ce penchant anthropomorphiste, infirmité essentielle de tout homme, je l'ai accordé, mais chez Voltaire plus grave que chez d'autres, que se rattache toute sa philosophie. Ne croyez pas que, quand il passe de l'optimisme au pessimisme, il devienne si différent de lui-même. Il reste au fond identique à soi. Optimiste il l'est à la façon d'un homme du XVIIe siècle, et avec, les arguments de Fénelon. Voyez-vous ces montagnes comme elles sont bien disposées pour la répartition des eaux en vue de la plus grande commodité l'homme67... (Voir dans Fénelon la première partie du Traité sur l'existence de Dieu.) Un monde créé pour l'homme, un Dieu pour créer et organiser le monde au profit de l'homme, l'homme centre du monde et but de Dieu, donc sa cause finale, donc sa raison d'être, voilà l'univers. Pour un contempteur de la Bible, en n'est pas de beaucoup dépasser la Bible.

: (retour) Dissertation sur les changements arrivés dans notre globe.
Et quand il est pessimiste, c'est le même système à l'inverse, mais le même système. C'est un pessimisme d'opposition dynastique. Il consiste à accuser Dieu de n'avoir pas atteint son but. «Vous avez crée l'homme, comme c'était votre devoir. Mais vous n'avez pas assez fait pour l'homme. Il se trouve insuffisamment bien. Il n'a pas lieu d'être content de vous. Au moins il faudra réparer. Vous lui devez quelque chose.» Double aspect de la même idée, optimisme ou pessimisme anthropomorphique, dans les deux cas proclamation des droits de l'homme sur le créateur; croyance à Dieu, si vous voulez; créance sur Dieu serait, je crois, mieux dit.

Tout son «cause-finalisme», auquel il tient tant, se ramène à cela. Il est le sentiment énergique qu'un immense effort des choses a été accompli pour nous contenter ou pour nous plaire; qu'il a atteint quelquefois ce but si considérable; que le monde est à peu près digne de nous; que pour cette raison nous devons le trouver intelligent, que le monde reconnu intelligent s'appelle Dieu.Mais aussi cet universel effort n'a pas laissé d'être maladroit; nous mesurons ses maladresses à nos souffrances et les lacunes du monde à nos déceptions; nous trouvons l'univers habitable, mais défectueux, donc intelligent mais capricieux ou étourdi, et sans refuser notre approbation, nous retenons quelque chose de notre respect.Comme le paganisme est bien le fond ancien et toujours prêt à reparaître de la théologie humaine, et comme c'est bien la religion vraie des hommes, même très intelligents, quand on creuse un peu, qu'un commerce familier avec la divinité, dans lequel on la craint, on l'admire, on la querelle, et l'on doute un peu qu'elle nous vaille!

Voilà donc, à ce qu'il paraît, un esprit assez étroit, dispersé et curieux, mais superficiel et contradictoire, quand on le presse et qu'on le ramène, sans le trahir, il me semble, aux deux ou trois idées fondamentales qui forment son centre; très peu nouveau, assez arriéré même, répétant en bon style de très anciennes choses, sensiblement inférieur aux philosophes, chrétiens ou non, qui l'ont précédé, et ne dépassant nullement la sphère intellectuelle de Bayle, par exemple; surtout incapable de progrès personnel, d'élargissement successif de l'esprit, et redisant à soixante-dix ans son credo philosophique, politique et moral de la trentième année.

Prenons garde pourtant. Il est rare qu'on soit intelligent sans qu'il advienne, à un moment donné, qu'on sorte un peu de soi-même, de son système, de sa conception familière, du cercle où notre caractère et notre première éducation nous ont établis et installés. Cette sorte d'évolution que ne connaissent pas les médiocres, les habiles, même très entêtés, s'y laissent surprendre, et ce sont les plus clairs encore de leurs profits. Je vois deux évolutions de ce genre dans Voltaire. Voltaire est un épicurien brillant du temps de la Régence, et l'on peut n'attendre de lui que de jolis vers, des improvisations soi-disant philosophiques à la Fontenelle, et d'amusants pamphlets. C'est en effet ce qu'il donne longtemps. Mais son siècle marche autour de lui, et d'une part, curieux, il le suit: d'autre part, très attentif à la popularité, il ne demandera pas mieux que de se pénétrer, autant qu'il pourra, de son esprit, pour l'exprimer à son tour et le répandre. Et de là viendra un premier développement de la pensée de Voltaire. Ce siècle est antireligieux, curieux de sciences, et curieux de réformes politiques et administratives. De tout cela c'est l'impiété qui s'ajuste le mieux au tour d'esprit de Voltaire, et c'est ce que, à partir de environ, il exploitera avec le plus de complaisance, jusqu'à en devenir cruellement monotone. Quant à la politique proprement dite, il n'y entend rien, ne l'aime pas, en parlera peu et ne donnera rien qui vaille en cette matière. Restent les sciences ef les réformes administratives. Il s'y est appliqué, et avec succès. Il a fait connaître Newton, très contesté alors en France et que la gloire de Descartes offusquait. Il aimait Newton, et n'aimait point Descartes. Le génie de Newton est un génie d'analyse et de pénétration; celui de Descartes est un génie d'imagination. Descartes crée son monde, Newton démêle le monde, le pèse, le calcule et l'explique. Voltaire, qui a plus de pénétration que d'imagination, est très attiré par Newton. Il a pris à ce commerce un goût de précision, de prudence, de sang-froid, de critique scientifique qu'il a contribué à donner à ses contemporains et qui est précieux. Sa sympathie pour Dalembert et son antipathie à l'égard de Buffon, sa réserve à l'égard de Diderot viennent de là. Et s'il n'est pas inventeur en sciences géométriques, ce qui n'est donné qu'à ceux qui y consacrent leur vie, son influence y fut très bonne, son exemple honorable, son encouragement précieux. Comme Fontenelle, comme Dalembert, il maintenait le lien utile et nécessaire qui doit unir l'Académie des sciences à l'Académie française.

En matière de réformes administratives il a fait mieux. Il a montré l'impôt mal réparti, iniquement perçu, le commerce gêné par des douanes intérieures absurdes et oppressives, la justice trop chère, trop ignorante, trop frivole et capable trop souvent d'épouvantables erreurs. Je crains de me tromper en choses que je connais trop peu; mais il me semble bien que je ne suis pas dans l'illusion en croyant voir qu'il a deux élèves, dont l'un s'appelle Beccaria et l'autre Turgot. Cela doit compter. J'insiste, et quelque admiration que j'aie pour un Montesquieu, quelque cas que je fasse d'un Rousseau, et quelque estime infiniment faible que je fasse de la politique de Voltaire, je le remercie presque d'avoir été un théoricien politique très médiocre, en considérant que négliger la haute sociologie et s'appliquer aux réformes de détail à faire dans l'administration, la police et la justice, était donner un excellent exemple, presque une admirable méthode dont il eût été à souhaiter que le XVIIIe siècle se pénétrât. Ici Voltaire est inattaquable et vénérable. C'est le bon sens même, aidé d'une très bonne, très étendue, très vigilante information. Ici il n'a dit que des choses justes, dans tous les sens du mot, et tel de ses petits livres, prose, vers, conte ou mémoire, en cet ordre d'idées, est un chef-d'oeuvre.

Je vois une autre évolution de Voltaire, celle-là intérieure (ou à peu près), intime, et qu'il doit à lui-même, au développement naturel de ses instincts. C'est un épicurien, c'est un homme qui veut jouir de toutes les manières délicates, mesurées, judicieuses, ordonnées et commodes, qu'on peut avoir de jouir. Donc il est assez dur, nous l'avons vu, assez avare («l'avarice vous poignarde», lui écrivait une nièce), et la charité n'est guère son fait. Cependant le développement complet d'un instinct, dans une nature riche, intelligente et souple, peut aboutir à son contraire, comme une idée longtemps suivie contient dans ses conclusions le contraire de ses prémisses. L'épicurien aime à jouir, et il sacrifie volontiers les autres à ses jouissances; mais il arrive à reconnaître ou à sentir que le bonheur des autres est nécessaire au sien, tout au moins que les souffrances des autres sont un très désagréable concert à entendre sous son balcon. Pour un homme ordinaire cela se réduit à ne pas vouloir qu'il y ait des pauvres dans sa commune. Pour un homme qui a pris l'habitude d'étendre sa pensée au moins jusqu'aux frontières, cela devient une vive impatience, une insupportable douleur à savoir qu'il y a des malheureux dans le pays et qu'il serait facile qu'il n'y en eût pas. Voltaire, l'âge aidant, du reste, en est certainement arrivé à cet état d'esprit, et je dirai de coeur, si l'on veut, sans me faire prier. Les pauvres gens foulés d'impôts, tracassés de procès, «travaillés en finances» horriblement, lui sont présents par la pensée, et le gênent, et lui donnent «la fièvre de la Saint-Barthelemy», cette fièvre dont il parle un peu trop, mais qui n'est pas, j'en suis sûr, une simple phrase.Et l'on se doute que je vais parler des Calas, des Sirven et des La Barre. Je ne m'en défends nullement. Oui, sans doute, on en a fait trop de fracas. On dirait parfois que Voltaire a consacré ses soixante-dix ans d'activité intellectuelle a la défense des accusés et à la réhabilitation des condamnés innocents. On dirait qu'il y a couru quelque danger pour sa vie, sa fortune ou sa popularité. On sent trop, à la place que prennent ces trois campagnes de Voltaire dans certaines biographies, que le biographe est trop heureux d'y arriver et de s'y arrêter; et l'effet est contraire à l'intention, et l'on ne peut s'empêcher de répéter le mot de Gilbert:

Vous ne lisez donc pas le Mercure de France?
Il cite au moins par mois un trait de bienfaisance.
Oui sans doute, encore, cette pitié se concilie chez Voltaire, et au même moment, et dans la même phrase, avec une dureté assez déplaisante pour des infortunes identiques: «J'ai fait pleurer Genevois et Genevoises pendant cinq actes... On venait de pendre un de leurs prédicants à Toulouse; cela les rendait plus doux; mais on vient de rouer un de leurs frères68...» Oui, sans doute, encore, il y a, dans ces belles batailles pour Calas, Sirven, La Barre et Lally, beaucoup de cet esprit processif qui était chez Voltaire et tradition de famille et forme de sa «combativité». Il a été en procès toute sa vie et contre tel juif d'Allemagne, ce qui exaspère Frédéric, et contre de Brosses, et contre le curé de Moëns; et s'il y a dix mémoires pour Calas, il y en a bien une vingtaine pour M. de Morangiès, lequel n'était nullement une victime du fanatisme.N'importe, c'est encore un bon et vif sentiment de pitié qui le pousse dans ces affaires des protestants, des maladroits ou des étourdis. Pour Calas surtout, le parti qu'il prend lui fait un singulier honneur; car, remarquez-le, il sacrifie plutôt sa passion qu'il ne lui cède. Ses rancunes auraient intérêt à croire plutôt à un crime du fanatisme qu'à une erreur judiciaire, sa haine étant plus grande contre les fanatiques que contre la magistrature. Il hésite, aussi, un instant; on le voit par ses lettres; puis il se décide pour le bon sens, la justice et la pitié. Ce petit drame est intéressant.

: (retour) A Dalembert, mars .
On le voit, d'une part sous l'influence de son temps, d'autre part moitié influence de son temps, qui fut clément et pitoyable, moitié propre impulsion et développement, dans une heureuse direction, de ses instincts intimes, Voltaire, par certaines échappées, s'est dépassé, ce qui veut dire s'est complété. Une partie de son oeuvre de penseur est sérieuse, c'est la partie pratique et actuelle; une partie (trop restreinte) de son action sur le monde est bonne, ce sont des démarches d'humanité et de bon secours. «J'ai fait un peu de bien, c'est mon meilleur ouvrage», est un joli vers, et ce n'est pas une gasconnade.

Mais quand on en revient à l'ensemble, il n'inspire pas une grande vénération, ni une admiration bien profonde. Un esprit léger et peu puissant qui ne pénètre en leur fond ni les grandes questions ni les grandes doctrines ni les grands hommes, qui n'entend rien à l'antiquité, au moyen âge, au christianisme ni à aucune religion, à la politique moderne, à la science moderne naissante, ni à Pascal, ni à Montesquieu, ni à Buffon, ni à Rousseau, et dont le grand homme est John Locke, peut bien être une vive et amusante pluie d'étincelles, ce n'est pas un grand flambeau sur le chemin de l'humanité.

Quand, tout rempli depuis bien longtemps de ses pensées et s'assurant sur une dernière lecture, récente, attentive et complète de ses ouvrages, on essaye de se le représenter à un de ces moments où l'homme le plus sautillant et répandu en tous sens, et rimarum plenissimus, s'arrête, se ramène en soi et se ramasse, fixe et ordonne sa pensée générale et s'en rend un compte précis, voici, ce me semble, comme il apparaît.Positiviste borné et sec, impénétrable, non seulement à la pensée et au sentiment du mystère, mais même à l'idée qu'il peut y avoir quelque chose de mystérieux, il voit le monde comme une machine très simple, bien faite et imparfaite, combiné par un ouvrier adroit et indifférent, qui n'inspire ni amour ni inquiétude et qui est digne d'une admiration réservée et superficielle.Conservateur ardent et inquiet, il a horreur de toute grande révolution dans l'artifice social et même de toute théorie politique générale et profonde ayant pour mérite et pour danger de pénétrer et partant d'ébranler, en pareille matière, le fond des choses.Monarchiste ou plutôt despotiste, il ne trouve jamais le pouvoir central assez armé, ni aussi assez solitaire, ne le veut ni limité, ni contrôlé, ni couvert ni appuyé d'aucun corps, aristocratie, magistrature ou clergé, qui ait à lui une existence propre.Antidémocrate et anti populaire plus que tout, il ne veut rien pour la foule, pas même (il le répète cent fois), pas même l'instruction; et, par ce chemin, il en revient à être conservateur acharné, même en religion, voyant dans Dieu tel qu'il le comprend, et dans le culte, et dans l'enfer, d'excellents moyens, insuffisants peut-être encore, d'intimidation.Et ce qu'il rêve, c'est une société monarchique dans le sens le plus violent du mot, et jusqu'à l'extrême, où le roi paye les juges, les soldats et les prêtres, au même titre; ait tout dans sa main; ne soit pas gêné ni par Etats généraux ni par Parlement; fasse régner l'ordre, la bonne police pour tous, la religion pour le peuple, sans y croire; soit humain du reste, fasse jouer les tragédies de M. de Voltaire et mette en prison ses critiques. Il se fâche contre les philosophes de quand ils «mettent ensemble» les rois et les prêtres. Pour les rois, non, s'il vous plaît! «Il ne s'agit pas de faire une révolution comme du temps de Luther ou de Calvin, mais d'en faire une dans l'esprit de ceux qui sont faits pour gouverner.» Son idéal, c'est Frédéric II; non pas encore: Frédéric accueille et recueille les Jésuites; son vrai idéal, c'est Catherine II. La société qu'il a rêvée c'est celle de Napoléon Ier.

Et ce système est un système. C'est celui de Hobbes. Seulement Voltaire est trop léger pour avoir en soi, ou pour atteindre, du système qu'il conçoit ou qu'il caresse, la substance et le fond. Il n'appuie sur rien les constructions légères de sa pensée. Positiviste, il n'a pas l'essence du positiviste; monarchiste, il n'a pas la raison d'être du monarchiste; antidémocrate, sans être sérieusement aristocrate, il n'a pas les qualités patriciennes; et, conservateur, il n'a pas les vertus conservatrices.

Positiviste, il ne sait pas que l'essence du positivisme c'est une qualité, très religieuse, quoi qu'elle en ait et très grave, qui est l'humilité; que le positiviste sincère est surtout frappé des bornes étroites et des voûtes affreusement basses et lourdes qui limitent et répriment notre misérable connaissance; qu'il dit: «Bornons-nous, puisque nous sommes bornés; sachons ne pas savoir, puisqu'il est si probable que nous ne saurons jamais; à l'ama nesciri de l'Imitation ajoutons aude nescire»;et que c'est là une disposition d'esprit plus respectueuse du grand mystère que toute téméraire affirmation, puisqu'elle le proclame.Voltaire, lui, ne s'humilie point, croit savoir (le plus souvent du moins) et tranche lestement. Il est positiviste assuré et audacieux, avec un petit déisme très positif aussi, sans aucun mystère, dont on fait le tour en trois pas, dont il est fâcheux aussi qu'il ait besoin comme instrument de terreur, et qui au défaut d'être un peu naïvement positif, joint celui d'être trop pratique. Il n'a pas le positivisme sérieux et réfléchi qui s'arrête au seuil du mystère, mais précisément parce qu'il y est arrivé.

Monarchiste, il n'a pas la raison d'être du monarchiste, qui n'est autre chose que le patriotisme. Le monarchisme, quand il est profond, est un sacrifice. Il est l'immolation du droit de l'homme au droit de l'Etat pour la patrie. Il part de cette conviction que la patrie n'est pas un lieu, mais un être, qu'elle vit, qu'elle se ramasse autour d'un coeur; et que ce coeur, s'il n'est pas un Sénat éternel, doit être une famille éternelle, une maison royale, une dynastie; que cette maison est le point vital du pays, languissant parfois (et alors malheur dans le pays, mais respect encore et fidélité au trône: ce ne sera qu'une génération sacrifiée à la perpétuité du pays); puissant parfois et vigoureux et alors gloire dans la nation et élan nouveau vers l'avenir; mais toujours conservateur du pays, en ce qu'il en est la perpétuité, et parce qu'un pays n'est autre chose qu'un être perpétuel et fidèle à sa propre éternité.Cette conception est absolument inconnue de Voltaire; il est monarchiste sans être dynastique, il est monarchiste sans être patriote, d'où il suit qu'il n'est monarchiste que par instinct banal de conservation. Il est si peu monarchiste dans le sens profond du mot qu'il change de roi; il est si peu patriote qu'il change de patrie. Son indifférence pour le pays dont il est, est telle qu'elle a étonné même ses contemporains. Elle est telle qu'elle le rend inintelligent même au point de vue pratique, ce qui peut surprendre. Agrandissement de la Prusse, débordement de la Russie, suppression de la Pologne, les Russes à Constantinople, voilà sa politique extérieure, cent fois exposée. C'est toujours la France amoindrie qu'il semble rêver.Ce n'est pas qu'il lui en veuille précisément. Il n'en tient pas compte. Que d'énormes monarchies, qui ne risquent pas d'être catholiques et qu'il espère naïvement qui seront «philosophiques», se forment dans le monde, il lui suffit. C'est le plus remarquable cas, non de colère blasphématrice contre la patrie, ce qui serait plus décent, mais d'indifférence à l'endroit du pays, qui se soit vu.

Antidémocrate, il l'est, sans être patricien. Ce n'est pas le mépris du peuple qui fait le vrai aristocrate, c'est la certitude que le peuple est incapable de gouverner ses affaires, et que, par conséquent, il faut se dévouer à lui. Voltaire a le mépris sans avoir le dévouement. Il n'a que la plus mauvaise moitié de l'aristocrate. Il veut tenir la foule dans l'ignorance et l'impuissance, et c'est un système qui peut se défendre; mais il ne tient à aucune aristocratie éclairée, organisée et pouvant quelque chose dans l'Etat, de quoi étant adversaire, il devrait être démocrate; et Rousseau est plus logique que lui. Mais tout ce qui n'est pas monarchie pure, et que ce soit démocratie, ou aristocratie, ou gouvernement mixte, lui est antipathique. On s'attendrait, puisqu'il est si personnel, et puisque c'est notre ridicule à tous de tenir pour le meilleur l'état où nous serions les personnages les plus considérables, qu'il rêvât une aristocratie philosophique et un gouvernement des «hautes capacités» et des «lumières». Nullement. Diderot y songe plus que lui. C'est même une chose monstrueuse pour lui que «l'Église» ait pu être jadis un «ordre» de l'Etat. Cela dérange sa conception de l'Etat. Cependant, si l'Eglise a été un ordre. C'est qu'elle était en ces temps-là la corporation des capacités.Mais la vraie idée aristocratique est totalement étrangère à ce contempteur du peuple. Il n'est aristocrate que par négation.

Et il n'est conservateur que par timidité. Le conservatisme sérieux et fécond n'est pas la peur de l'avenir; c'est le respect du passé. C'est une sorte de piété filiale. C'est le sentiment que le passé a une vertu propre, que les institutions du passé sont bonnes, même quand elles sont un peu mauvaises, comme maintenant dans la nation l'idée de la continuité des efforts, de la longueur de la tâche, et de la patience commune. La tradition, c'est la solidarité des hommes d'aujourd'hui avec les ancêtres, et par là c'est la patrie agrandie, dans le temps, de tout ce qu'elle retient et vénère du passé. Et cela est vrai que le passé a une vertu, sans avoir été si vertueux quand il était le présent! Comme d'un père mort un fils ne garde en mémoire, très naturellement et sans effort, que ce qu'il avait d'excellent, et comme ce souvenir devient en lui un viatique et un principe d'énergie morale; de même un peuple dans les institutions qu'il garde de ses ancêtres ne trouve, naturellement, qu'une image épurée de ce qu'ils étaient, qui lui devient un réconfort et un idéal. Montaigne gardait dans son cabinet les longues gaules dont son père avait accoutumé de s'appuyer en marchant, et certes, je voudrais qu'il les eût gardées même si son père s'en fût servi quelquefois pour le fustiger. Voltaire n'a point ce genre de piété. Il est homme nouveau essentiellement; et il n'a aucune espèce de respect. Il n'est conservateur que parce qu'il se trouve à peu près à l'aise dans la société telle qu'elle est. Il est conservateur par appréhension beaucoup plus que par respect. Il est conservateur beaucoup moins des souvenirs que des défiances, et beaucoup plus des remparts que du Palladium.Il n'y a pas â s'y tromper: l'humanité qu'il a rêvée serait l'humanité ancienne, seulement un peu, je ne veux pas dire dégradée, un peu déclassée; et la société qu'il a rêvée serait la société ancienne un peu nivelée, aussi comprimée. Ce serait quelque chose comme l'Empire sans gloire. Ce serait un état social parfaitement ordonné et odieux.

On ne le voit pas si déplaisant que cela, à le lire de temps en temps. Non certes, d'abord parce qu'il est plaisant, et spirituel et causeur aimable, ce qui sauve tout, surtout en France; ensuite parce qu'il a beaucoup de bon sens, et que ses idées de détail sont très justes, très vraies, très pratiques, et excellentes à suivre. Le Voltaire négatif, le Voltaire prohibitif, le Voltaire qui dit: «Ne faites donc pas cela», est admirable. S'il s'était borné à répéter: «Ne brûlez pas les sorciers; ne pendez pas les protestants; n'enterrez pas les morts dans les églises; ne rouez pas les blasphémateurs; ne questionnez pas par la torture; n'ayez pas de douanes intérieures; n'ayez pas vingt législations dans un seul royaume; ne donnez pas les charges de magistrature à la seule fortune sans mérite; n'ayez pas une instruction criminelle secrète, à chausse-trapes et à parti pris69; ne pratiquez pas la confiscation qui ruine les enfants pour les crimes des pères; ne prodiguez pas la peine de mort (il a même plaidé une ou deux fois pour l'abolition); ne tuez pas un déserteur en temps de paix, une fille séduite qui a laissé mourir son enfant, une servante qui vole douze serviettes; soyez très propres; faites des bains pour le peuple; n'ayez pas la petite vérole; inoculez-vous»; s'il s'était borné à répéter cela toute sa vie avec sa verve et son esprit et son feu d'artifice perpétuel, et à faire une centaine de jolis contes, je l'aimerais mieux. Mais le fond des idées est bien pauvre et le fond du coeur est bien froid. Ce qu'il paraît concevoir comme idéal de civilisation est peu engageant. Le monde, s'il avait été créé par Voltaire, serait glacé et triste. Il lui manquerait une âme. C'est bien un peu ce qui manquait à notre homme.

: (retour) Une fois même, il a demandé le jury (ce qui est étrange de la part d'un homme qui n'a jamais manqué, dans les affaires d'Abbeville et de Toulouse, d'accuser surtout la population, responsable des décisions que ses cris imposaient aux juges); mais ce n'est qu'une de ses «humeurs» et boutades.

IV

SES IDÉES LITTÉRAIRES

Il en est des idées de Voltaire sur l'art comme de ses autres idées. Elles paraissent contradictoires et incertaines au premier regard: elles le sont en effet; et elles se ramènent à une certaine unité en ce qu'elles sont uniformément assez justes, très étroites et peu profondes. Au premier abord il paraît tout classique. Il arrive à la vie littéraire au moment d'une grande croisade des «modernes», et il prend parti contre les modernes avec décision. Il défend, contre Lamotte, Homère, la tragédie en vers et les trois unités; il défend, contre Montesquieu, la poésie elle-même qu'il sent méprisée par le raisonnement, la didactique, la science sociale et le jeu des idées pures. Nul doute n'est possible sur ses intentions. On est en réaction, autour de lui, contre tout le XVIIe siècle; il veut, lui, que l'on continue le XVIIe siècle, que l'on rime plus que jamais, et que, plus que jamais, on fasse des tragédies, des odes et des poèmes épiques. Il en fait, pour donner l'exemple, et ramène vivement son siècle, qui sans lui, certainement, s'en écartait, à la littérature d'imagination.

Et, sur cela, vous croyez qu'il est ancien, à la façon d'un Racine, d'un Boileau, d'un Fénelon et d'un La Bruyère, ou, ce qui est mieux encore, un ancien avec de vives clartés et très heureux reflets des littératures modernes, comme un La Fontaine. Nullement. Il n'a guère perdu une occasion de mettre le Tasse et l'Arioste au-dessus d'Homère, de profiter malignement des maladresses d'Euripide et de taquiner Homère sur ce qu'il a parfois de primitif et d'enfantin. Pindare pour lui n'existe pas, à quoi l'on peut mesurer le chemin parcouru en arrière depuis Boileau. La tragédie française est incomparablement supérieure à la tragédie grecque. Aristophane n'est qu'un plat bouffon, indigne d'intéresser un moment les honnêtes gens; Virgile, très supérieur à Homère du reste, a surtout des qualités de belle composition et d'ordonnance. Bref, Voltaire est un classique qui ne comprend à peu près rien à l'antiquité. Il est curieux, quand on lit Chateaubriand, de reconnaître à chaque page que, du révolutionnaire et du classique conservateur, c'est le révolutionnaire qui a le plus vivement, le plus puissamment, le plus complètement, le sens de l'antiquité.

C'est que Voltaire, en cela comme en toute chose, n'a pas le fond. C'est comme son originalité. Il est classique en littérature comme il est conservateur ou monarchiste en politique, sans savoir ce que c'est qu'un classique, non plus que ce que c'est qu'un conservateur. En cela, comme en autre affaire, c'est aux formes et à l'extérieur des choses qu'il s'attache. Le goût classique, pour lui, ce n'est pas forte connaissance de l'homme, passion du vrai et ardeur à le rendre, imagination énergique et mâle associant l'univers à la pensée de l'homme et peuplant le monde de grandes idées humaines devenant des dieux et des cieux, sensibilité vraie et forte née de la conscience profonde des misères et des grandeurs de notre âmeet, parce que tout cela est bien compris et possédé pleinement, et, pour que tout cela soit bien compris des autres, clarté, ordre, harmonie, proportions justes, marche droit au but, ampleur, largeur, noblesse. Non; l'art classique n'est pour lui que clarté, ordre, netteté, ampleur et noblesse, sans le reste; et c'est ce qui est saisir la forme, la bien voir même, avec justesse et sûreté, mais ne pas soupçonner le fond; et c'est tout Voltaire critique.

Un certain modèle de bon ton, de justesse d'idées et de justesse de proportions dans les oeuvres, d'élégance, de distinction et de noblesse, voilà ce qu'il a vu, et certes il n'a pas eu tort de le voir, dans le siècle de Louis XIV. Avec son manque de profondeur, et d'imagination, et de sensibilité, c'est tout ce qu'il pouvait voir, et il s'en est fait une poétique, qui est bonne, qui est saine, qui est incomplète et qui est tout ce qu'il y a au monde de plus stérile. C'est, si l'on veut, un assez bon acheminement. «Il faut avoir passé par là», ou plutôt on peut avoir passé par là. Ceux qui y restent n'ont rien compris au fond des choses.

Il y est presque resté. Aussi, appliquant ce cadre étroit aux grandes oeuvres de la grande littérature classique pour les mesurer, on peut juger ce qu'il en laisse de côté ou en proscrit. De la Bible il ne reste rien (Boileau la comprenait); de l'antiquité grecque les deux tiers, au moins, tombent; et Homère lui est, à l'ordinaire, un prétexte à parler de l'Arioste. Sophocle reste: il est noble, il est mesuré, il est harmonieux; mais il est religieux, il est philosophe, il est grand créateur d'âmes, il est grand poète lyrique, et Voltaire s'en est peu aperçu. De l'antiquité latine ne restent guère que Virgile et Horace, Horace surtout.

Appliqué même au XVIIe siècle, le cadre est étroit. Pascal n'est pas compris, du moins celui des Pensées. C'est que Pascal, sans qu'on s'occupe ici ni du philosophe ni du théologien, est le plus grand poète, peut-être, du XVIIe siècle.

Où le critérium adopté par Voltaire a des effets bien curieux, c'est dans les questions de «bon goût» proprement dit et de bienséance. Le grand défaut des auteurs du XVIIe siècle, pour Voltaire, est d'avoir trop souvent manqué de noblesse. Bossuet est quelquefois bien familier dans ses Oraisons funèbres, et la «sublimité» de ces beaux ouvrages en est «déparée». Comparez le portrait si correct et bien compassé de la reine d'Egypte dans le Séthos de l'abbé Terrasson et le portrait de Marie-Thérèse dans Bossuet: «vous serez étonné de voir combien le grand maître de l'éloquence est alors au-dessous de l'abbé Terrasson71.» La Fontaine est charmant; il a un «instinct heureux et singulier» et fait ses fables «comme l'abeille la cire»; mais que de trivialités quelquefois, que de «bassesses», que de «négligences» et que d'«impropriétés»! Surtout il est regrettable qu'il n'ait «ni rime ni mesure».Il n'y a pas jusqu'à ce bon Rollin qui n'ait donné dans le familier. Dans un passage sur les jeux scolaires, il ose nommer la «balle», le «ballon» et le «sabot»; et ce sabot ne saurait se souffrir.Sait-on bien que Racine luimême n'est pas constamment élégant? Il y a dans le second acte d'Andromaque des «traits de comique» qui sont absolument insupportables dans une tragédie. Ah! quel dommage!

: (retour) Temple du goût.
: (retour) Connaissance des beautés et des défauts de la poésie et de l'éloquence dans la Langue française.Caractères et portraits.
Voltaire n'a pas cessé d'avoir de ces singulières délicatesses et de ces étranges dégoûts. En littérature aussi c'est un gentilhomme, certes, mais trop récemment anobli, et il est plus intraitable qu'un autre sur la noblesse.

Avec sa vive sensibilité, je voudrais pouvoir dire «nervosité» d'homme de théâtre, il a reçu comme le coup et la secousse de Shakspeare, pendant son séjour en Angleterre, et il a crié en France la gloire du grand tragique.Pourquoi cette croisade furieuse, tout à la fin de sa carrière, contre l'auteur d'Othello? C'est qu'on est l'auteur de Zaïre, sans doute; c'est aussi que le goût intime reprend le dessus; et que le goût intime consiste dans les qualités de forme infiniment préférées au fond. Le goût de Voltaire c'est le goût de Boileau devenu beaucoup plus étroit et beaucoup plus timide et beaucoup plus superbe. Prenez ce qui est comme l'enveloppe de la poétique du XVIIe siècle: trois unités, distinction rigoureuse des genres, noblesse de ton, merveilleux, éloquence continue, toutes choses qui sont des effets de la conception artistique du grand siècle, et non cette conception même; et cette sorte d'enveloppe et d'écorce, désormais sans substance et sans sève, prenez-la pour l'art lui-même; ayez cette illusion; vous aurez celle de Voltaire, et l'explication, du même coup, de ce qu'il y a, manifestement, d'artificiel, de sec, d'inconsistant et de creux dans l'art de Voltaire et de son groupe.

Et aussi ce soutien et cet appui dont s'aidaient les hommes du XVIIe siècle, l'imitation de l'antiquité, destituez-le de sa force de sa vertu première, réduisez-le à n'être plus un art de penser comme les anciens, et un commerce perpétuel avec eux, et une puissance de renouvellement par leur exemple; réduisez-le à n'être plus qu'un instinct et une habitude d'imitation, et un procédé d'ouvrier avisé et habile; et un procédé s'appliquant aux modèles les plus différents, à Virgile comme à Camoëns, à Arioste ainsi qu'à Shakspeare: et s'appliquant, encore, à des modèles qui sont déjà en partie des imitations, c'est-à-dire aux oeuvres du XVIIe siècle: vous avez un autre aspect de l'art poétique et un autre secret de la façon de travailler de Voltaire; et vous arrivez, par tout chemin, à vous convaincre que cet art est l'art, moins le fond de l'art.

Est-ce là tout ce qui constitue le goût littéraire de Voltaire? Non pas! N'oublions jamais, en parlant d'un homme, la qualité maîtresse, petite ou grande, qui fait son originalité. L'originalité de Voltaire, c'est son instinct de curiosité. C'est par là que, de tous côtés, il échappe à ses faiblesses. Une partie du rôle littéraire de Voltaire, c'est d'avoir résisté à la réaction contre le XVIIe siècle, et d'avoir soutenu que le XVIIe siècle était grand; mais une autre partie de son rôle, c'est d'avoir fureté partout. Si étroit d'esprit qu'on puisse être accusé d'être, on ne va point partout sans en rapporter quelque chose. Il sait beaucoup d'histoire, de littérature, d'histoire de moeurs. Cela fait que son goût, étroit pour nous, est quelquefois plus large que celui de ses contemporains. Il les redresse, à la rencontre, fort heureusement. S'il trouve des enfantillages dans Homère, tel des hommes de son temps y trouvait des grossièretés qu'il ne tient pas pour telles. «Peut-on supporter, disait-on autour de lui, Patrocle mettant trois gigots de mouton dans une marmite?...»«Eh! mon Dieu, répond Voltaire, c'est que vous n'avez rien vu. Charles XII a fait six mois sa cuisine à Demir-Tocca, sans perdre rien de son héroïsme.»«Pourquoi tant louer la force physique de ses héros? Cela n'est pas du ton de la cour.»«Non, mais avant l'invention de la poudre, la force du corps décidait de tout dans les batailles. Cette force est l'origine de tout pouvoir chez les hommes; par cette supériorité seule les nations du Nord ont conquis notre hémisphère depuis la Chine jusqu'à l'Atlas.»

Voilà à quoi sert de savoir quelque chose. De ses excursions à travers toutes les littératures à peu près, et toutes les histoires, Voltaire a rapporté de quoi tempérer quelquefois ce que son esprit avait naturellement d'impérieux dans la soumission. D'Angleterre il tient un demi-shakspearianisme, qui, au moins, nous le verrons, doit diversifier ses procédés d'imitation. De ses Italiens il tient un certain goût de fantaisie folle qui l'écartera par moments (mais beaucoup trop) de son ferme propos de noblesse académique dans l'art. De ses Espagnols, qui n'ont que de l'imagination, comme il n'en a pas, il ne tire rien. Mais, tout compte fait, sa critique, quoique en son fond plus étroite que celle de Boileau, a quelques échappées, pour ne pas dire hardiesses, et quelques saillies, assez heureuses. Il a loué éternellement Quinault, il est vrai, et c'est un crime, et sans excuse, car tout ce qu'il en cite à l'appui de sa louange est d'une platitude incomparable; mais il a inventé Athalie, et c'est une gloire. C'est qu'il était homme de théâtre, grand premier rôle de naissance, et que la grandeur du spectacle le ravissait. Il a, plus tard, vingt fois, démenti cet enthousiasme, en faisant remarquer combien Athalie est d'un mauvais exemple. C'est qu'il est monarchiste et anticlérical; mais ces vingt passages, on ne veut pas les lire, et on a raison.

En somme, il aimait passionnément la littérature, ce qui est très bien, sans la bien comprendre, ce qui est étrange. Cela tient à ce qu'il n'était pas poète et à ce qu'il se sentait très bon écrivain. Cette complexion mène à être un ouvrier infiniment adroit et prestigieux, qui, sans bien sentir l'art, se donne, et même aux autres, l'illusion qu'il est un artiste.

V

SON ART LITTÉRAIRE

J'ai commencé l'étude de Voltaire artiste par l'étude de Voltaire critique. Ce n'est pas sans raison. Je crois en effet que l'art dans Voltaire n'est guère que de la critique qui se développe, et qui se donne à elle-même des raisons par des exemples. Il y a des hommes de génie qui se transforment en critiques, pour leurs besoins, et alors ils donnent comme règle de l'art la confidence de leurs procédés. Tels Corneille et Buffon. Il y a des hommes de goût, de finesse, d'intelligence qui sont critiques de naissance, qui disent: «ce n'est pas comme cela qu'on fait un ouvrage; c'est comme ceci»; et qui ajoutent, le moment d'après, ou l'année suivante: «et je vais le montrer, en en faisant un». On reconnaît généralement les premiers à ce qu'ils ne s'adonnent qu'à un genre d'ouvrages, et ensuite prescrivent des règles d'art qui ne s'appliquent bien qu'à ce genre-là. Tels Buffon et Corneille. On reconnaît généralement les autres à ce qu'ils ont des idées de critique sur tous les genres d'ouvrage, et s'aventurent à composer des oeuvres à peu près de tous les genres. Tels Marmontel, Laharpe, à cent degrés plus haut tel Voltaire.Seulement Voltaire, outre ce talent ou plutôt cette souplesse à transformer sa critique en exemples agréables, qu'il prend et donne pour des modèles, a un talent original, et peut-être deux. Il a un génie de curiosité, et c'est ce qui en fera un bon historien; il a un génie de coquetterie, de bonne grâce, d'habileté à bien faire les honneurs de lui-même, et c'est ce qui en fera un conteur, un rimeur de petits vers charmants, et un épistolier des plus aimables.

Commençons par ceux de ses ouvrages où l'inspiration n'est que de la critique qui s'échauffe.

Ce sont ses poésies, ses tragédies, ses comédies. Ils ont deux défauts, dont le premier est précisément d'être nés d'une idée et non d'un transport de l'âme tout entière, de l'intelligence et non de tout l'être, et par conséquent de rester froids; dont le second, conséquence du premier, est d'être presque toujours des oeuvres d'imitation; car la critique qui invente ne peut guère être que de l'imitation qui se surveille, et qui surveille son modèle, de l'imitation avisée qui corrige ce qui redresse, mais de l'imitation encore.

C'est là les caractères essentiels de tous les grands ouvrages artistiques de Voltaire. De quoi est née la Henriade? Du traité sur le poème épique qui l'accompagne, soyez-en sûrs. Le traité a été fait après; mais il a été pensé avant. Voltaire s'est dit: «Homère brillant, mais diffus et enfantin; Virgile élégant, mais souvent froid, avec un héros qu'on n'aime point; Lucain déclamateur, mais vigoureux, «penseur», éloquent, bon historien. Ce qu'il faut dans un poème épique, c'est un héros sympathique une histoire vraie et grande, des pensées philosophiques, des discours brillants, un peu de merveilleux, car vraiment Lucain est trop sec, mais un merveilleux civilisé, moderne et philosophique, et des vers d'une prose solide et serrée, comme: «Nil actum reputans si quid superesset agendum», et je songe à une Henriade.»Et la Henriade a vu le jour. C'est un poème très intelligent.

Non pas, sans doute, d'une intelligence très profonde et très pénétrante des vraies conditions de l'art, lesquelles se sentent, plus qu'elles ne se comprennent. Ici la création est la mesure juste du sens critique, et l'invention juge la théorie. Voltaire se trompe, encore ici, sur le fond des choses, qu'il n'atteint pas. Il prend la galanterie pour l'amour, l'allégorie pour le merveilleux et l'histoire pour l'épopée. Mais dans les limites d'une intelligence qui fut toujours fermée aux trois ou quatre conceptions supérieures de l'âme humaine, la Henriade est un poème très intelligent.Je comprends qu'elle laisse froid, je ne comprends pas qu'elle ennuie. C'est de l'histoire anecdotique très amusante. Le sens critique que l'a conçue; mais le génie de curiosité l'a exécutée. Il y a là des portraits bien faits, des scènes bien racontées, et des «Etats de l'Europe en » rédigés en prose admirable, précis, ramassés et clairs, qui feraient très grand honneur à des manuels d'histoire pour homme du monde.Comment il faut lire la Henriade? Posément, sans anxiété et sans transport (elle le permet), en saisissant bien ce qu'il y a dans chaque vers d'allusion à une foule d'événements, et en lisant surtout les s de Voltaire, qui éclairent les allusions et complètent le cours. Et lue ainsi, elle est un vif plaisir de l'esprit dans une grande tranquillité du coeur et un grand calme de l'imagination. On y voit presque toute l'histoire de France, surtout ce que Voltaire en aime, dans la belle lumière d'un jour clair et un peu frais: Saint Louis, François Ier, les Valois, Henri IV et ce cher siècle de Louis XIV prolongé quelque peu jusqu'à Voltaire lui-même. La curiosité a dicté ces pages, a dicté ces s, et elle se satisfait à les lire. C'est le poème le plus distingué, le plus judicieux et le plus utile qu'on ait écrit en France depuis Mézeray.

La Pucelle est moins amusante. On peut même dire qu'elle est illisible. C'est un poème plaisant, à qui il manque d'être comique. Ces personnages burlesques font des sottises qui ne font point rire. Faut-il écrire un très grand mot en parlant de la Pucelle? N'importe; je dirai que c'est parce que Voltaire manque de psychologie. Ce ne sont point les aventures où des hommes sont engagés qui sont bouffonnes par elles-mêmes; ce sont les travers par où les hommes se jettent dans des aventures désagréables, ou par où ils les subissent de mauvaise grâce, ou par où ils les rendent plus humiliantes encore et les prolongent; ce sont ces travers qui piquent notre malignité et la chatouillent. Ne comparez pas à Don Quichotte, mais seulement à Ragotin, pour sentir tout de suite où est le fond vrai d'un roman comique ou d'un poème burlesque. Ce fond n'existe aucunement dans la Pucelle. Ce ne sont qu'inventions de petits faits grotesques; on dirait les imaginations d'un collégien vicieux. Pour comprendre que cet énorme amas d'ordures ait plu aux contemporains, il faut avoir lu tous les romans froidement lubriques du temps; et pour ce qui est de comprendre que Voltaire ait pu les entasser, par poignées, pendant à peu près toute sa vie, il faut y renoncer absolument. Cela confond.

Ce qu'on en pourrait distraire, ce serait quelques-uns de ces avant-propos ou billets au lecteur qui sont placés en tête de chaque chant. Il y en a de très jolis. Le Voltaire des petits vers et des petites lettres s'y retrouve. Il a bien fait d'emprunter ce procédé a l'Arioste.

Son goût pour l'histoire se retrouve encore dans cet ouvrage pour laquais. Il a trouvé le moyen d'y dérouler toute l'histoire de France depuis Charles VII jusqu'au système de Law inclusivement. Ce n'est pas le plus mauvais endroit. Cela rappelle un peu la Ménippée. Mais c'est sans doute assez parlé de la Pucelle.

C'est dans ses tragédies qu'on voit le mieux à quel point l'art de Voltaire est une critique qui cherche à se transformer en invention. La tragédie de Voltaire est sortie de la théorie de Voltaire sur la tragédie. C'est une date importante pour l'étude de la critique dramatique en France. Voltaire admire les Grecs, leur préfère Corneille, lui préfère Racine, et croit qu'après Racine, il n'y a qu'à imiter Racine en le corrigeant. Que manque-t-il à Racine? C'est de cette question et de la réponse qu'il y croit pouvoir faire, que toute la tragédie de Voltaire est née, à bien peu près. Il manque à Racine de l'action. Il manque à Racine du spectacle. Deux pièces hantent sans cesse la pensée de Voltaire: Rodogune et Athalie. L'action de Rodogune ajoutée au théâtre de Racine, voilà la perfection; et Voltaire l'atteindra, et il l'a atteinte, comme tous ses contemporains, on peut le voir par les lettres de Dalembert et de Bernis, en sont persuadés.

Au fond, cela voulait dire que Voltaire ne comprenait pas le théâtre de Racine. Malgré son adoration pour Racine et ses superbes mépris pour Corneille, Voltaire, qui se croit novateur, est beaucoup plus rapproché de Corneille que de Racine. Le théâtre français pour lui est un recueil «d'élégies amoureuse»; c'est un riassunto di elegie e epitalami. Qu'est-ce à dire? Que, comme tous les critiques depuis jusqu'à environ, il trouve Racine «tendre», ce qui est la plus incroyable méprise littéraire qui se soit vue depuis Hésiode. Ces propos amoureux des héros de Racine, où, sous les politesses et les grâces du langage, il ne s'agit que d'assassinat, de suicide, de mort, de fureur et de folie, et au bout desquels, invariablement, et comme conséquences fatales, arrivent en effet, en réalité, assassinats, suicides et «grandes tueries» et folies furieuses; ces propos, Voltaire les prend pour des madrigaux et de langoureuses fadeurs. Donc il faut... les supprimer, et les remplacer par des incidents. Remplacer la psychologie tragique de Racine, qui «fait longueur», par des incidents, «parce que toutes les tragédies françaises sont trop longues»: voilà le dessein et l'effort de Voltaire.

Or remplacer le détail psychologique, qui est tout Racine, par un détail matériel, on a dit que c'était créer le mélodrame; mais on a oublié que Corneille l'avait créé. Il y a un Corneille, vraiment grand tragique et vrai précurseur de Racine, qui est un psychologue un peu gauche, mais puissant; c'est celui que les écoliers connaissent; c'est celui qui a créé les âmes d'Auguste, de Polyeucte, de Pauline, de Camille, de Chimène et de Viriate; mais il y a un Corneille moins connu, qui a écrit quarante mille vers peu lus de nos jours et qui a bâti trente mélodrames, dont quelques-uns, comme Attila, sont inintelligibles, dont quelques-uns, comme Nicomède, Rodogune, Don Sanche d'Aragon, sont très amusants, pleins d'action, d'incidents, d'entreprises, de méprises, de surprises et de reconnaissances. C'est ce théâtre-là que Voltaire a inventé. Sauf vers la fin de sa vie, et dans sa décadence lamentable, il n'a pas inventé autre chose.

Et ce n'était pas maladroit, Racine étant très présent aux mémoires, Corneille, le Corneille mélodramatiste du moins, beaucoup moins familier aux esprits, Racine n'étant pas très imitable, et Corneille, quand il n'est qu'habile, pouvant être vaincu en habileté.Tant y a que c'est là ce que Voltaire a fait, avec une application soutenue et une honorable dextérité. Prendre un sujet de Racine, ou un sujet de Corneille aussi, quelquefois de Shakspeare, et le traiter en mélodrame, sans psychologie, sans peinture des variations et des démarches compliquées des sentiments, avec beaucoup de petits faits formant intrigue, c'est où il s'est montré ouvrier habile et souvent heureux. C'était «dépasser» Racine en marchant à reculons; ce n'était peut-être pas donner un théâtre nouveau à la France: il est vrai que c'était lui en rendre un.

Il a repris deux fois le sujet d'Athalie, et deux fois il a comme noyé la tragédie dans un mélodrame. Sémiramis c'est Athalie sans Joad, et sans Athalie (avec un peu d'Hamlet rudimentaire). Joad y est réduit à rien. Voltaire n'a pas compris que Joad est le caractère le plus profond et le plus intéressant du théâtre de Racine, et qu'une Athalie sans Joad est bien amoindrie; et c'est une Athalie moins Joad qu'il écrit. Ajoutez que sa reine Sémiramis est une Athalie singulièrement obscure, à peu près indéfinissable et presque inintelligible. Mais en revanche que de spectres, que d'incestes, que de parricides, que de fratricides, et quelle «méprise»!

Mahomet, c'est Athalie, et cette fois avec Joad comme personnage principal. Mais Mahomet est un Joad sans profondeur, et comme sans ressort intime. Ce n'est pas plus Mahomet qu'un ennemi quelconque de Zopire. C'est un scélérat; ce n'est pas un fanatique. C'est un ambitieux qui sait faire tuer son rival, ce n'est pas un «séducteur» d'âmes qui crée autour de lui des dévouements aveugles et forcenés.Il n'y a qu'une chose qu'on ne comprenne pas, c'est son influence sur Séide. Figurez-vous un Joad dont on ne pourrait pas comprendre l'ascendant sur Abner. C'est le fond des choses qui manque. Mais l'aventure, sauf une maladresse ou deux, est bien menée, et l'intérêt de curiosité bien ménagé.

Mérope c'est Andromaque; mais le procédé est le même que ci-dessus. Dans Racine, dès le premier acte, Andromaque est placée entre Pyrrhus et Astyanax à sauver. Qu'elle se décide! Et la décision doit ne se produire qu'au dénouement. Racine ne craint pas de laisser Andromaque pendant cinq actes en cet état d'incertitude, parce qu'il sait que cette incertitude est toute la pièce, parce qu'il sait aussi que, des mouvements divers d'une âme pressée entre deux devoirs, il saura faire toute une pièce, et que c'est son art même.Que Voltaire est plus prudent! Ce n'est qu'après trois actes qu'il mettra Mérope dans cette situation. Le reste sera incidents, méprises invraisemblables, complication étrange, bizarre (et intéressante du reste) de menus faits, de péripéties et de coups de théâtre qui supposent une combinaison bien extraordinaire de circonstances et une bonne volonté un peu forte du parterre.La convention propre au mélodrame, c'est la naïveté du spectateur.

Zaïre, c'est Othello avec beaucoup de Mithridate; mais tirer de la jalousie seule cinq actes de tragédie, pour Voltaire ce n'est pas du théâtre. Que Zaïre ait perdu son frère, ait perdu son père, et retrouve son père et retrouve son frère et qu'il y ait «reconnaissance» et qu'il y ait «méprise»; voilà du théâtre! Pendant le temps que prennent ces choses, on n'est pas forcé d'avoir du génie.

Alzire c'est Polyeucte, un Polyeucte d'Ambigu. Que Polyeucte ait épousé une fille recherchée autrefois par Sévère, et que Sévère revienne tout-puissant, voilà une «situation piquante», comme dit Voltaire. Mais elle n'est pas assez piquante. Il y faut plus de complication. Supposez que Polyeucte ait un père qui a été sauvé jadis par Sévère. Supposez que Sévère ait été persécuté par Polyeucte. Supposez que Polyeucte ignore que son père a été sauvé jadis par Sévère. Supposez que Sévère ignore que Polyeucte est le fils de l'homme qu'il a sauvé. Vous avez le point de départ d'Alzire et vous voyez combien de méprises et de brusques révélations et de beaux coups de théâtre vous pouvez attendre.Quant à Pauline entre Polyeucte et Sévère, c'est chose moins importante et qui pourra être considérablement abrégée, et qui le sera; n'en faites aucun doute. Par exemple, Alzire demandera à Guzman la grâce de Zamore, c'est-à-dire à l'homme qui l'aime la grâce de l'homme qu'elle aime. Main elle n'osera pas le faire longuement. Trois phrases, une réticence, et c'est fini. Et quand elle se retrouve avec sa confidente, elle dira: «J'assassinais Zamore en demandant sa vie!» Mais voilà précisément la scène qu'il fallait faire! Elle est contenue dans ce vers. Il fallait tout un long combat où Alzire, s'avançant, reculant, revenant par détours, tirant parti de l'amour qu'elle inspire en tremblant de révéler celui qu'elle ressent, compromettant Zamore en le défendant trop, et vite, quand elle s'en aperçoit, se faisant douce à Guzman pour regagner le terrain perdu; laissant voir au spectateur ses sentiments vrais sous les évolutions tantôt habiles, tantôt moins adroites de sa stratégie pieuse, nous donnât tout un tableau riche et varié des agitations de son coeur. Seulement, cela, c'eût été du

Racine. Voltaire ne peut qu'indiquer d'un mot ce dont Racine fait tout un acte. Ce vers de tout à l'heure, c'est une de critique intelligent au bas d'une page de Racine.

Irène c'est le Cid; mais, comme dans Mérope, Voltaire n'aborde la véritable tragédie qu'au troisième acte. Figurez-vous un Cid qui, au lieu d'un acte de prologue, en aurait deux et demi. Les deux amants séparés par un crime ne sont séparés par ce crime qu'à la fin du troisième acte. Et ces deux amants, Corneille, naïvement, les fait se parier sans cesse, sachant que le drame est dans ce qu'ils pourront se dire, et se taire; Voltaire, prudemment, les empêche le plus possible de se parler. Le spectateur ne demande qu'à les voir l'un en face de l'autre, et il ne les voit jamais que séparément.

L'impuissance psychologique éclate, en ce théâtre, dans la composition et la contexture de tous les ouvrages. Les plus brillants, comme Tancrède, sont fondés, non sur l'analyse des sentiments de l'âme humaine, mais sur une méprise initiale que tous les personnages font des efforts inouïs pour prolonger. Les héros de Voltaire sont des hommes chargés par lui de ne se point connaître contre toute apparence, et de retarder de toutes leurs forces pendant quatre ou cinq actes le moment de la reconnaissance. Ils y mettent un zèle admirable.Ces tragédies sont tellement des mélodrames qu'elles commencent déjà à être des vaudevilles. On sait qu'entre le mélodrame moderne et le vaudeville, il n'y a aucune différence de fond. L'un ont fondé sur une ou plusieurs méprises, l'autre sur un ou plusieurs quiproquos. Et la méprise n'est qu'un quiproquo triste et le quiproquo qu'une méprise gaie, et les personnages du mélodrame doivent se prêter complaisamment à la méprise, et les personnages du vaudeville s'ajuster de leur mieux au quiproquo. Les tragédies de Voltaire ont déjà très nettement ce caractère. Combien le chemin est étroit en même temps que sinueux, que doit suivre docilement Mérope, sans faire un pas à droite ou à gauche, pour en arriver à lever le poignard sur la tête de son fils avec un reste de vraisemblance; on ne l'imagine pas si l'on n'a point le texte sous les yeux. C'est ce que les auteurs de petits théâtres appellent «filer le quiproquo.» Il y avait déjà quelque chose de cela dans don Sanche d'Aragon. Voltaire est un élève de ce Corneille inférieur à lui-même qui a mis beaucoup de comédie d'intrigue dans un grand nombre de ses tragédies.

L'esprit qui règne dans ces ouvrages d'imitation, et qui en a fait en partie le mérite aux yeux des contemporains et qui, pour nous, est au moins important à considérer en ce qu'il marque fortement la distance entre le XVIIIe siècle et le XVIIe, c'est un esprit de compassion, de ménagement pour les nerfs et la «sensibilité» des spectateurs. C'est un esprit, et je ne dis que la même chose en d'autres termes, d'optimisme relatif, qui porte Voltaire à ne pas présenter les héros tragiques ni comme trop épouvantables, ni comme trop malheureux. Il adoucit très «philosophiquement», et comme il convient en un siècle de «lumières», l'âpre et rude tragédie antique, acceptée le plus souvent par Corneille, et que Racine, quoi qu'en pense Voltaire, n'a nullement (ce serait peut-être le contraire) amollie et énervée.La tragédie était un spectacle de terreur et de pitié fait pour intéresser, avant tout; mais aussi, un peu, pour faire réfléchir l'homme sur l'affreuse misère de sa condition, sur tous les crimes et malheurs que, soit l'immense hasard où il est jeté, soit les redoutables forces aveugles, désordonnées et folles qu'il porte en son coeur, peuvent lui faire commettre, ou subir. A ce compte on sait si Eschyle, Sophocle, Euripide, Shakspeare, Corneille souvent, Racine toujours, entendent bien ce que c'est qu'une, tragédie.Voltaire l'entend aussi; mais il aime à adoucir les choses. L'épicurien reparaît ici. Voltaire n'a rien de féroce. Il n'est pas «Crébillon le barbare». Il veut que les grands crimes soient commis, puisqu'il en faut dans les tragédies; mais il aime qu'ils soient commis par mégarde. Il a pleuré bien des fois (on le voit par une dizaine de passages de ses dissertations et de ses lettres) sur cette pauvre Athalie si méchamment mise à mort par Joad. Il s'étonne que Joad ne laisse pas Eliacin s'en aller avec Athalie et devenir son fils adoptif; ce qui arrangerait tout. Voyez-vous l'homme qui ne se représente pas les grandes passions furieuses et absorbantes, ambition ou fanatisme, et qui, partant, ne se fait pas une idée vraie de la tragédie.

Aussi, quand il en fait une, il tempère et il biaise. Sémiramis sera tuée par son fils, mais par méprise, et à cause de l'obscurité qui règne dans ce maudit caveau. C'est Assur qu'Arsace croyait tuer. Il pourra se consoler. Clytemnestre sera tuée par Oreste, mais dans la confusion d'une mêlée; c'est Egisthe qu'Oreste cherchait de son poignard. Il pourra s'excuser auprès des Furies. z qu'il n'a tué Egisthe lui-même que parce qu'Egisthe voulait le faire mourir. Il était dans son droit; il faut qu'il soit dans son droit. Voilà la tragédie philosophique.

Cela est curieux en soi, et ensuite en ce qu'il contribue à expliquer la dernière manière de Voltaire tragique, ou plutôt une manière que, sans abandonner l'autre, Voltaire a prise souvent vers la fin de sa carrière. Reconnaissons que, vers la fin, assez souvent, Voltaire n'imite plus. Il invente. Il imagine des romans philosophiques vertueux, auxquels il donne le nom de tragédie. Ce sont l'Orphelin de la Chine, les Scythes, et les Guèbres, et les Lois de Mînos. Ce sont des histoires attendrissantes, destinées à faire aimer la justice, l'humanité et la tolérance, racontées très lentement, sous forme de dialogue, en vers. Au fond, ce sont des Bélisaîres. Le mélodrame s'est dégagé peu à peu de la tragédie et maintenant se présente à l'état pur. Il s'insinuait précédemment, dans une carapace de tragédie classique; en gardait les formes extérieures; sous cette enveloppe multipliait les complications et les rouages, et faisait du tout une tragédie à quiproquos. Maintenant il se montre à nu, simple histoire édifiante et un peu fade, propre à inspirer à ceux qui la liront un peu de vertu bourgeoise, et n'est plus qu'un roman-feuilleton. L'alexandrin seul reste encore comme marque traditionnelle d'une vieille maison.

Cette transformation de la manière dramatique de Voltaire est due à deux causes. D'abord elle est, comme je viens de dire, une évolution naturelle: le mélodrame a pris conscience de lui-même, a grandi, et a brisé sa chrysalide; ensuite Voltaire a suivi son temps. Autour du lui le mélodrame, tout franc, et sans mélange de vieille tragédie, s'est produit et développé, avec La Chaussée, plus tard avec Diderot et avec Sedaine. Voltaire a d'abord raillé ce genre de tout son coeur; puis, après deux ou trois variations successives, n'aimant pas à être en minorité, il s'est habitué à ce genre et a fait des comédies sur ce modèle; et enfin il en arrive à y plier sa tragédie elle-même. Remarquez que dans sa correspondance, à deux ou trois reprises, il finit par donner à ses Scythes leur véritable nom; guéri de ses vieilles répugnances, il les appelle «un drame»; et il a raison. Au fond sa tragédie n'avait jamais été autre chose; seulement il a mis cinquante ans à s'en apercevoir.

Ces pièces, comme tous les ouvrages d'imitation, sont écrites dans une langue qui n'est ni mauvaise ni bonne, qui est indifférente. C'est une langue de convention. Elle n'est pas plus de Voltaire que de Du Belloy; elle est de ceux qui font des tragédies en . Il est étonnant, même, à quel point elle ne rappelle aucunement la langue de Voltaire. Elle n'est pas vive, elle n'est pas alerte, elle n'est pas serrée, elle n'est pas variée de ton. Elle est extrêmement uniforme. Une noblesse banale continue, et une élégance facile, implacable, voilà ce qu'elle nous présente. L'ennui qu'inspirent les tragédies de Voltaire vient surtout de là. On souhaite passionnément, en les lisant, de rencontrer une de ces négligences involontaires de Corneille, ou un de ces prosaïsmes voulus de Racine, que Voltaire lui reproche. On souhaite un écart au moins, ou une faute de goût. On ne trouve, pour se divertir un peu, que quelques rimes faibles, nombre de chevilles, et quelquefois la fausse noblesse ordinaire tournant décidément à l'emphase, ce qui amuse un instant.Disons aussi qu'on peut rencontrer deux ou trois tirades véritablement éloquentes. Celle de Luzignan dans Zaïre est célèbre. Elle est justement célèbre. Voltaire est incapable de poésie; il n'est pas incapable d'éloquence. Il y en a quelquefois dans la Henriade; il y en a quelquefois dans les Discours sur l'homme, qui sont décidément ce que Voltaire a fait de mieux en vers. Voltaire est capable de s'éprendre d'une idée générale jusqu'à l'exprimer avec vigueur, avec ardeur, ce qui donne le mouvement à son style, et avec éclat. Les tragédies de Voltaire sont des mélodrames entrecoupés de «Discours sur l'homme»; on en peut détacher d'assez belles dissertations, comme celle d'Alzire sur la tolérance. C'est butin tout prêt pour les «morceaux choisis»; et c'est bien le péché de Voltaire, d'avoir, dans ses oeuvres d'art, travaillé pour les morceaux choisis, et peut-être avec intention.

On a félicité Voltaire d'avoir «agrandi la géographie théâtrale», c'est-à-dire d'avoir pris ses sujets en dehors de l'antiquité, et, indistinctement, dans tous les temps et tous les lieux, moyen âge, temps modernes, Europe, Asie, Afrique, Amérique, Extrême Orient, etc.Puis on le lui a reproché, en faisant remarquer combien ses Assyriens, Scythes,

Guèbres, Chinois et chevaliers du moyen âge ressemblent à des Français du XVIIIe siècle, et que, par conséquent, ce grand progrès est bien illusoire. C'est la «couleur locale» qu'il fallait donner au théâtre si l'on faisait tant que d'y introduire tantôt des turcs et tantôt des mandarins.Le reproche fait à Voltaire d'avoir manqué de couleur locale me touche infiniment peu. Il n'y aura jamais au théâtre de couleur locale. On appelle couleur locale ce qui distingue tellement une nation de celle dont je suis, que je ne le comprends pas, que je n'arrive à le comprendre qu'après mille patients efforts. Par définition cela est impossible à mettre au théâtre,ou, si on l'y met, sera perdu, ne pouvant pas être compris vite, ou, si on l'explique longuement, fera du drame la plus ennuyeuse des conférences. En d'autres termes, à quelque point de vue qu'on se place, il n'en faut point. S'il est vrai qu'un Japonais insulté s'ouvre le ventre pour venger son injure, à voir cela en scène je ne serai point touché, n'y comprenant rien; ou si on me renseigne par un cours sur les moeurs japonaises, je m'ennuierai.Si Joad m'intéresse, au contraire, c'est que (sauf quelques détails très rapidement jetés, et qui, dans cette mesure, piquent ma curiosité, et me dépaysent juste assez pour m'amuser) Joad n'est pas un prêtre juif, formellement, exclusivement; c'est un prêtre chef de parti, comme moi, homme du XVIIe siècle, sortant du XVIe, j'en connais vingt. Voilà la mesure.

Il n'y a donc pas à en vouloir à Voltaire de n'avoir point fait des Assyriens vraiment Assyriens et des Chinois vraiment Chinois.

Mais, à ce compte, a-t-il donc en tort de sortir du domaine consacré de l'antiquité?Je dis encore non. La vraie couleur locale n'est pas chose de théâtre; mais dépayser un peu le spectateur, sans prétendre à plus, je l'ai dit, cela n'est point mauvais. Cela le réveille, le dispose bien, fait qu'il ouvre les yeux, condition nécessaire pour bien écouter, localise son attention; rien de plus; mais c'est la fixer. Racine sait bien ce qu'il fait en nous parlant du labyrinthe au début de Phèdre, du sérail au début de Bajazet, de l'Euripe au début d'Iphigénie, et du Temple au début d'Athalie. Passé le premier acte, sa tragédie pourrait, à bien peu près, se passer à Paris: c'est l'histoire d'une femme amoureuse ou d'un prêtre conspirateur; on n'a pas besoin de savoir l'histoire ou la géographie pour la suivre; mais l'impression première était utile.Voltaire, avec moins de talent, a fait de même, et il a eu raison. De vraie couleur locale il n'en a point mis; le minimum, je dirai presque la petite illusion nécessaire, ou agréable, de couleur locale, il l'a donnée.

Il l'a rendue plutôt, et c'est là son mérite. Rappelez-vous que, de son temps, on était, sur ce point, en arrière de Bajazet, et de Corneille. On n'osait plus s'écarter de l'antiquité grecque et latine: «C'est au théâtre anglais que je dois la hardiesse que j'ai eue de mettre sur la scène les noms de nos rois et des anciennes familles du royaume.»«L'auteur de Manlius prit son sujet de la Venise sauvée, d'Otway. Remarquez le préjugé qui a forcé l'auteur français à déguiser sous des noms romains une aventure connue, que l'Anglais a traitée naturellement sous des noms véritables... Cela seul en France eût fait tomber sa pièce.»Voltaire n'a point élargi le domaine tragique, il a tout simplement varié les sujets; il n'a point, et pour bonne cause, inventé la couleur locale, mais il a affranchi le théâtre de la routine gréco-romaine. C'était un progrès, en ce sens que c'était une excitation. Ce n'était point ouvrir une source; mais c'était stimuler l'attention du public, l'imagination des auteurs. De là, bien plus que de Shakspeare, est venu plus tard le théâtre romantique. Les drames romantiques de sont des tragédies de Voltaire enluminées de métaphores. Et si ce n'est pas un très grand service rendu à la littérature française d'avoir, en revenant à Don Sanche, conduit à Hernani, c'en est un de n'en être pas resté a Manlius.

Les comédies de Voltaire ressemblent à ses tragédies de la dernière manière, et peuvent être un des chemins qui l'y ont amené. Ce sont de petits contes moraux, ou de petites nouvelles sentimentales. Un roman conté lentement et solennellement, en dialogue, en alexandrins, c'est, le plus souvent, une tragédie de Voltaire; un conte déduit lentement, en dialogue, en vers de dix syllabes, une comédie du Voltaire n'est jamais autre chose. Pour faire lire et un peu goûter les tragédies de Voltaire, je dis quelquefois: «Sachez les lire en prose. Abstraction faite du vers, elles intéressent.» Je dirai des comédies: «Lisez-les comme des contes. prises ainsi, elles sont intéressantes.» Il n'y a nulle psychologie, nulle peinture des caractères, et presque (et cela étonne) nulle observation même des petits travers et ridicules courants. Mais ce sont de jolies petites histoires. La Prude est un conte charmant. La suite et l'enchaînement des scènes, les entrées et les sorties, la forme dialoguée elle-même, ce semble, sont un peu des gènes pour Voltaire, et il court moins lestement que dans un conte proprement dit; mais le conte est fait cependant, et il est agréable. La verve, l'invention facile de petites aventures amusantes est là, comme par-dessous, un peu offusquée et refroidie; mais on la retrouve. On voudrait que cela fût raconté, tout simplement.

L'Enfant prodigue est de même, et aussi Nanine. Ce n'est jamais dramatique, et ce n'est jamais en scène. On ne voit jamais les forces diverses du petit drame former rouage, peser l'une sur l'autre, s'engrener, et se froisser de plein contact. Dans un Tartufe écrit par Voltaire, Tartufe serait hypocrite de son côté, et Orgon crédule du sien. Ils ne se rencontreraient point. Dans un Avare écrit par Voltaire, Harpagon sérait avare en a parte, et Frosine intrigante en monologue. Ils ne se heurteraient guère.

Et, d'autre part, le relief manque; ce qui fait qu'une scène, même à la lire, s'arrange d'elle-même pour le théâtre et s'y ajuste, y est vue s'y posant et s'y mouvant, a la vie scénique, en un mot, chose plus facile à sentir qu'à définir; cela fait défaut à Voltaire bien plus dans ses comédies que dans ses tragédies. Des contes, rien de plus; un conte moitié sentimental, moitié satirique comme l'Ecossaise; un conte sentimental et moral comme Nanine, sorte d'Ami Fritz plus romanesque; un conte vertueux et «attendrissant», dans le goût de La Chaussée, comme l'Enfant prodigue, mais toujours des contes, où le fait, d'une part, l'intention morale, de l'autre, font l'intérêt. Mais en matière de comédie ce sont justement ces deux choses-là qui sont d'un intérêt médiocre.C'est dans son théâtre comique que l'impuissance psychologique de Voltaire et son impuissance à créer des êtres vivants éclatent le plus, sans doute parce que c'est dans le théâtre comique que les qualités ou de créateur ou d'observateur pénétrant sont le fond de l'art.

Toutes les grandes formes de l'art, Voltaire s'y est donc essayé, toujours avec un demi-succès, pour les mêmes causes pour lesquelles il a touché a toutes les grandes idées sans les approfondir. Il n'était pas capable de détachement; et c'est l'honneur des grands artistes que la même vertu leur soit essentielle et nécessaire qu'aux grands penseurs, et c'est l'honneur des grands penseurs que la même vertu leur soit essentielle et nécessaire qu'aux grands artistes. Aux uns comme aux autres, avec une personnalité puissante et exceptionnelle, il faut la faculté de sortir de soi. Aux grands penseurs il faut la puissance de s'éprendre des idées et de les aimer pour elles-mêmes sans considération de ce qu'elles peuvent avoir d'utile ou de nuisible à notre parti ou notre fortune;aux grands artistes il faut la connaissance de l'homme, qui ne s'acquiert qu'en observant les autres avec impartialité, détachement très difficile; ou en s'observant soi-même sans complaisance, détachement plus rare encore;et il leur faut la sensibilité vraie qui est pitié de frère et non d'épicurien aristocrate;et il leur faut l'imagination ardente qui est plein oubli de soi-même et ravissement à la poursuite du beau. C'est cette puissance de s'arracher à soi qui a toujours manqué à Voltaire, soit comme penseur, soit comme poète, et c'est pour cela qu'il n'a atteint les sommets d'aucun art, comme il n'a touché le fond de rien.Et comme nous avons vu qu'il a été conservateur sans les vertus conservatrices, déiste sans comprendre l'idée de Dieu, monarchiste sans entendre le principe monarchique, et ainsi de suite; il a été poète, aussi, sans le fond et la source vive de la poésie. Du reste, privé de ces hautes facultés qui font l'homme supérieur, n'y ayant d'homme supérieur que celui qui d'abord est supérieur à lui-même, on peut encore être un homme curieux, intelligent et spirituel, ce qui suffit aux genres dits secondaires, et c'est ce que Voltaire a été, et c'est dans ces genres qu'il a excellé.

Milton Keynes UK
Ingram Content Group UK Ltd.
UKHW030636080823
426520UK00010B/512